西成で生きる

この街に生きる14人の素顔

花田庚彦

はじめに

「人が最後に流れ着く街」と称されることが多い西成。

あいりん、釜ヶ崎（かまがさき）、西成と人によって呼び方が変わる。

〝あいりん〟は行政が付けた名前なので、住んでいる人たちは意地なのであろうかその名前を使わない。〝釜ヶ崎〟は古くから呼ばれている名前なので、年配の方などが多く使っているが、多くの人は〝西成〟という呼び方をしているのがこの地域だ。

西成とは大阪市西成区の北部にある萩之茶屋（はぎのちゃや）、太子（たいし）、山王（さんのう）、天下茶屋北（てんがちゃやきた）、花園北（はなぞのきた）を中心とした小さい地域のことを指し、本書ではそのなかで生きる代表的な人たちを取り上げている。

この地域には行政が把握しているだけで２万５０００人という人間がいまも生活をしており、その中の多くが簡易宿舎である〝ドヤ〟や生活保護受給者専用の福祉アパートに居住しているという特徴のある街である。

住民登録していない人間も数多いので、実際の人口は行政も把握できてはいない。

それらの人たちを陰で支えているのが本書に登場する14人であり、その人たちの素顔と本音をそれぞれ取り上げている。

読者の皆さまは、西成という地域にどのような印象をお持ちだろうか。多くの読者の方は「西成は怖い、危ない」という印象を持っているのではないだろうか。

一部は当たっているが、ほとんどそれらは勘違いである。

元々は血気盛んな多くの若い労働者が生活し、暴力団事務所が数多く点在していたが、いまは住んでいる人たちの高齢化によって、ほかの地域より安全な街になっているのだ。ただし、それはレールからはみ出さずに普通の生活や旅行、観光などで使う場合に限るが……。

初めて西成で取材をしたのは、覚醒剤の取引現場だった。以来筆者はこの街に興味を持ち、20年以上の時が経過している。

いままでの取材を通じ、西成は様々な大きい力によって動かされている街だと感じている。わずか1キロ四方の街に、〝行政〟〝政治〟〝宗教〟〝人権団体〟〝暴力団〟などが混在し、それぞれが各々の既得権益を守り、住民がその手の上に乗って生活をしているのだ。

それらが複雑に絡み合うこの地域は、紛れもなく日本でも有数の不思議な街である。

この街の特徴をことわざで表すのは非常に簡単である。

この街は懐が非常に深く、「人が最後に流れ着く街」と前述した通り、どんな過去があっても受け入れてくれる街なのだ。

「清濁併せ呑む」街である。

本書で取り上げている以外にも、多くの人たちがそれぞれの生活をしている。

目次を見てもらうと分かるが、本書は大きく三章で構成されている。

第一章「西成の仕事人たち」、第二章「医療・介護が抱える闇」、第三章「西成の生き字引たち」の構成である。それぞれの章は主に西成で生きていた、西成で生きている、西成で生きていく人たちの3つの構成で成り立っている。

西成を訪れたことのある読者の方や、興味のある読者の方には絶対に知ってもらいたい人たちに自身の人生や西成に懸ける熱意などを思う存分語ってもらっているが、当然ながら本書では取り上げきれなかった人間も西成には多くいる。

それらの人たちを含め、西成は筆者にとっては新たなテーマが生まれるかけがえのない街でもある。

これから変わって行くだろうと思われる西成の姿を本書から感じ取ってもらえば幸いである。

【目次】西成で生きる　―この街に生きる14人の素顔―

【第二章】医療・介護が抱える闇

【第三章】西成の「生き字引」たち

【第一章】——西成の「仕事人」たち

仕事を斡旋する「手配師」の実態

——人夫出し　上村さん・大内さん（仮名）

大阪・西成の朝は早い。

夜が明ける前から仕事を斡旋する人間、仕事を求める人間たちは取り壊されることが決まってはいるが、未だに西成のシンボルとなっているあいりんセンター周辺に集まる。

そこではいい条件を求める労働者と、いかに安く人を使うことができるかの手配師が集まり、品定めならず人定めをしているのだ。

一歩間違えると地獄のような飯場(はんば)へ行ってしまうという駆け引きが、夜明け前から行われている。

太陽が昇ったころには、仕事を斡旋された労働者は現場に行くバスやバンに乗り、運がいい人間は支給された弁当を食べることが許されているのだ。

今回は〝いい手配師〟と〝悪い手配師〟の両方に接触することができたので、それぞれの立場からの仕事や人に対する考えを語ってもらった。

まずは、いい手配師からだ。

手数料を抜きたくなかった

老朽化に伴う建て替えのため、2019年4月に閉鎖された「あいりんセンター」

——名前を教えてください。

「上村です」

仕事を探している西成の労働者に、上村さんを知らない人はいないであろう。外見的な特徴と誠意のある人間性で、現場に仕事を斡旋している人物だ。

——いま人夫出しをされていると紹介を受けたのですが、何人くらい労働者を抱えているのでしょうか。

「ぼくが抱えているのは15人くらいですよ。そんなに抱えても実質面倒見切れないので」

——車いすに乗ってセンターの方に行くんですか。

「基本ぼくはやる気無かったんですよ。元々現場出とった職人なんですよ。脳梗塞で倒れて入院している間も元請けから職人を紹介してくれ、と電話かかってきて。それが積もり積もってこうなったんですよ」

話の通り、上村さんは車いすに乗っている。

その姿は西成の取材中に何度も見かけた。

実際に身体障害者手帳を持っているが、それでも現場から要請があり、労働者を斡旋しているというのは、現場との信頼関係がキチンと築けている証拠であろう。

当然手配師というのは金銭を抜かないと商売にならない。それは繁華街の街頭に立っているスカウトと同じである。

その質問を正直にぶつけた。

――ひとりどれくらい抜いているんですか？

「ぼくは最初抜いてなかったんですよ。抜くってどういうことって。ぼくを頼ってきている人とか、真面目な労働者の人たちからお金を取る行為が理解できていなかったですね。だけどぼくも日雇いやっていたときに抜かれて嫌な思いをしていたのを思い出したりしてね。だからぼくは働いてないんやからいいですわ、言うてたんですけどね」

上村さんは元々日雇いの労働者であった。自分の経験が影響して、今も労働者のことを第一に考えているのがよく分かるエピソードでもある。

――抜かないでしばらく手配師を続けていたんですか？

「しばらく続けましたね、ぼくは貯蓄もあるし、身体が見ての通り動けへんから多少行政からの補助もあるしやね、それを続けていたら見かねた元請けが少しくらい抜けって言い出して。ほかの手配師の立場もあるから1人1000円でも2000円でもいいから引いてくれ、言われましたね」

元請けが請け負う大きい現場には、多くの労働者が集まる。ひとつの建築現場で、何十人も西成から手配師に連れられて集まってくる場合もあるだろう。

休憩時間などで、当然自身の日当などの世間話をすることもあるだろう。

そこで上村さんが抜いていないという待遇をほかの手配師から派遣されている労働者が聞くと、勤労意欲が無くなるからであろうか。

しかし、人の口に戸は立てられない。

上村さんが苦労しなくても人が集まるのには、ほかにも理由があるのだろうか。

労働者を絶対に裏切ってはいけない

――ということは上村さんが人夫出しをして1日で1、2万円くらいの稼ぎですか。人夫出しを始めてどれくらいですか？

「身体を慣らしながらやっているから、もう1年くらいになるかな」

――仕事は順調ですか？

「コロナでだいぶ工事も減ったし」

――脳梗塞だから身体に麻痺があって実際歩けないわけですよね。

「身体障害者手帳1級ですね」

と、上村さんは自身の車いすの脇にあるポケットから手帳を取り出して見せる。

――人夫出しすることで気にしていることはありますか？

「元請けはぼくのことを信用して、仕事を出しているわけですから。もちろん現場で粗相がないように時間前に行ってミーティングをしたり、はじめに引き継ぎはしとかなあかん。元請けも信用しているけど、連れて行った人間もぼくのことを信用してるから裏切っちゃ絶対にあかん思ってます。あくどい人夫出しっているじゃないですか、西成って。帰って来れない飯場に人間出したり。ホンマに詐欺師のような人夫出しが仰山(ぎょうさん)立ってますからね、ホンマに」

帰って来れない飯場というのには説明が必要であろう。

一例を挙げると、山奥の現場に連れて行き、工事が終わるまで人との面会はおろか、山の下の街までも下りられないような嘘みたいな現場である。

一時期に比べてそのような現場は少なくなったが、未だに西成の人夫出しはこのような現場に人を斡旋しているのだ。

——そういったあくどい人間の見分け方ってありますか？　車に貼ってある条件と違うというのは。

「ぼくは経験したことないから分からんね。文句を言っても山の中に放り出されるし、気づいたときには遅いんとちゃいますかね」

山奥の飯場で労働者が消える？

ここで話題を変えて、西成で多く囁かれている都市伝説に話を向けた。

——都市伝説ですけど、ダムに工事で死んだ人間が埋められるとかいうじゃないですか。あれって実話ですか？

「実話かどうかは分からないけど、1人は実際に知っているよ。山奥の飯場で使い物にならんようになったら埋めてしまうという。まあそこはその事件が発覚してパクられたけどね。それ以外でもあるんちゃうかな。この地域で住民登録している人間は、ホンマ行政は生活保護を受けている人間しかカウントしとらんやろ。だから人が消えたって〝あ、飛んだんや〟くらいしか思わへんからな」

この地域の住民はほとんどが独身だ。所帯を持っているのは市営アパートや山王周辺のアパートなどに住んでいるほんの一握りの人間だけであろう。

また、身分証がなくてもドヤに長期宿泊も可能であり、よほど密接な関係をドヤの管理人や近隣住民と築いていなければ、いきなりいなくなっても捜索願を出されることは100パーセントないと言い切れる街である。

——実際にそういう話はあるんですね。普段から聞く世界ですか？

「ええまあ。指名手配の隠れ場所ですからね、未だにあいつはここに隠れているのかと思われる人間仰山いますよ」

——市橋達也受刑者などそうでしたね。まだ指名手配犯などいますか？

「顔とかいじったらわからんしね。体型と髪型変えたりしたら近い人間でもホンマに分からへんわ」

——警察から指名手配犯がいるか捜査協力してくれと頼まれたことはないですか？

「それはないね、言われたとしても分からへん言うやろうな。街の仲間のことは言いたくないしな」

筆者は過去に西成へ取材で訪れた際、〝人が何をやってもそれには構うな〟と色々な人間に注意されたことがある。

つまり誰が何をやってても無関心でいろ、という意味であろう。さすがに目の前で人が殺されかけていたり、殺されていたら通報するだろうが、幸いにもそのような物騒な場面には未だに出くわしていないのはラッキーなのであろうか。

——それでは西成という街は、まだ犯罪者が潜伏できる街ですか。

「十分潜伏はできる街やろ。いくら警察が指名手配書を持って歩いていても無駄やな。たとえ隣にその顔の奴が住んどってもぼくは無視しますね。関わり合いたくないし。人を売りたくないから。

あ、思い出したわ。事件といえば、前にこんな事件がぼくの周りでは過去にあったわ。素泊まりできるドヤの一室に切り刻んだ死体を置いとったことはあった。それは何でわかったかというと、長期でそのドヤを借りとったんやけど本人が帰ってくる様子がなかったんや。家主がおかしいと思って警察に行ったらわかった。犯人は捕まったと思うで。それもよう知らんけどな」

人情の街大阪と言えども、この街の風景は一風変わっている。

隣の人をあえて無関心にするのは、過去を詮索しない、してはいけないというこの街独特のルールがあるからではないだろうか。

上村さんが語る、西成の現状

――これからも人夫出しを続けていこうと思いますか。身体障害者手帳の1級を持っているとおっしゃっていましたが、障害年金は月いくらもらえるんでしょう。

「3万円かな。それに皆さんのご厚意で人夫出しをして多少儲けさせてもらっているので、生活費は十分ですわ。別に遊ぶこともあらへんし。ギャンブルはやらんしね」

――いまどれくらい人夫出しの業者はいますか？

「朝方歩いとったら分かるやろうけど、数え切れないほどおるわ。それほどこの西成の人間は使いやすいんやろうな。人がいなくなったらすぐに代わりはおるからな」

――いまコロナで仕事は少ないですか？

「人は余っているでしょうね。いま大きい飯場が仰山あるけど、その半分は休ませとる状態やからね。半分休ませたら、次の日は前日に行かなかった人間を送り出す感じやな、今は」

――雨でもないのに休みだったら本当に働いている人間は大変ですね。

「彼らも働かんと1日寝とっても寮費で3000円は取られるやろ。これに飯が付いたら

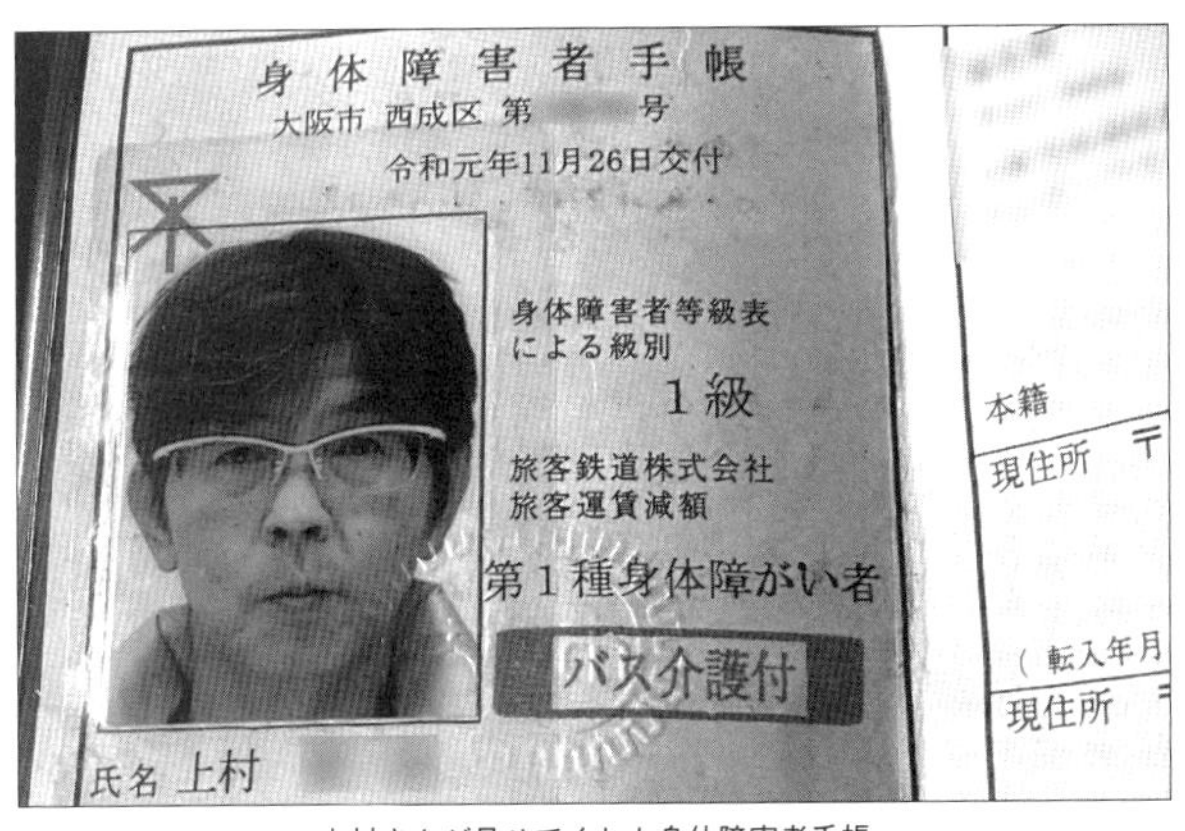

上村さんが見せてくれた身体障害者手帳

500円取られる。そこは取られへん良心的な飯場もあるけど、そんなのはホンマに少ない。それで雨の日以外でも休んどったら金も貯まらへんし、飯場追い出されるわ、終いには。そんなことさせたくないから交代で行かせとんのや」

――若い人は人気がありますか？

「そりゃ若いと無理きくしな、身体も。忙しい時期やったら夜勤やってそのまま昼間働いたり、通しでできるやろ。そんな体力があって若い人間はそもそも西成来なくても仕事なんか腐るほどあるやろ。不況や言うても仕事選ばなきゃ若いときは何でもある、そやろ？」

上村さんは自身の身体が不自由という以前にいい人なのだ。

話を聞いて、その人当たりの良さで人間味が伝わってくる。

そのような手配師だけだと、この街で働く労働者も幸せなのだが、それとは正反対な手配師が存在しているのも事実だ。

ある人間から、その手配師は紹介された。

「どんな飯場でも連れて行く」

――初めまして。手配師の世界について色々と教えて貰いたいのですが。

「大内（仮名）言います。この手配師の世界では10年以上やっていますから、何でも聞いてください。もちろん答えたくないこともあるから、そこは勘弁してな」

このように、相手を品定めするような、駆け引きのような会話で取材は始まった。人から紹介された大内さんの売り文句は〝どんな飯場でも連れて行く〟という物騒なものだった。

――大内さんはどこかの建設会社とか斡旋する会社の社員ですか？

「ワシはフリーな立場で手配師をしています。1つの会社にとらわれたくないというのが一番の理由やけどな」

大内さんの評判は前もって数人の手配師から聞いていた。

前は会社勤めをしながら、朝に西成へ来て人を工事現場に斡旋し、そのままやりっぱなしという悪評判だ。

噂が回り、会社はあいりんセンターでの正規の仕事の斡旋を切られて、周辺の路上だけでの募集になったという。

——今、大内さんは何人くらい労働者を派遣していますか？

「10人以上やろ、その中には泊りで現場作業しとる人間もおるし。常時10人は使っとるのと違うかな、ワシは長年この仕事やっとるから、コロナが流行ろうと、不景気になろうと仕事がまったく減らへんしな」

先ほど取材した上村さんはコロナで仕事が減ったと語った。

しかし、一方の大内さんは仕事は減ってないと豪語した。

果たしてその言葉のどちらが真実なのであろうか。現場に行ったことのない筆者には分からないが、新型コロナウイルスの流行で現場がフルに稼働しているとは到底思えないのが正直な感想だ。

——大内さんは車に貼り紙をして募集しているんですか？

「ワシは車ではやっとらんよ。センターに仕事を探しに来る奴おるやろ。まだ何も道具も持っていない人間や仕事にあぶれた人間。そんなのに声を掛けて募集しとる車に乗せるんや」

この場所に来たことがある人間であれば、手配師がいる朝方に来ると車に貼り紙が貼ってあるのを見た記憶があるのではないだろうか。

例えば「土工1万円・寮3000円」とかの大まかな説明文だ。

この土工というのは、工事の中でも一番下っ端の何でもやらされる仕事だ。

寮は1泊3000円という意味で、これは仕事がなくても引かれる地味に懐に響く金額である。

今回のような新型コロナウイルスや長雨が続いたときにはかなりのダメージを喰らうのだ。

〝商品〟として売買される労働者たち

——大内さんはひとりいくらくらい抜いているのですか?

「ワシはそうやな、派遣した現場にもよるけど、ひとり2、3000円やろ。それは本人の日当に関係なくな、そいつらの日当には直接響くことはあらへん。簡単にいえば手数料、斡旋料やな」

――毎日そのくらいの額がひとり頭入ってくるんですか？

「だから派遣した現場による言うてるやろ」

派遣した現場による、と大内さんは話す。

また、それは派遣された労働者の日当に響かないとも言っている。会社から派遣されていなく、フリーで手配師をしている大内さんの稼ぎは、言い換えれば借金漬けにされて売られている人が商品だということになる。大内さんに派遣された労働者は、初めから借金を背負って働かされているのであろう。

それが事実なら人身売買と同じであり、明らかに法に違反していることに間違いはない。

そこを大内さんに確かめた。

――大内さんは労働者を売っているという解釈でいいのですか？

「売っているという言い方はおかしいやないけ。例えば現場の道具を持ってない人間おるやろ。西成に初めて仕事を探しに来たような人間はみんなそうや。それを店で作業着やらいろいろ揃えなきゃあかん。現場でも買うこと出来るけど、それはホンマに高いんや。それをワシが善意で買ってやっとる。それは借金や。当たり前やろ」

――いや、それは仕事で使う道具のことで、私が聞いたのは労働者を売っているのではないかということです。

「それは売ってない、そんなの人身売買やんけ」

大内さんは否定したが、周囲から聞いた話では大内さんは労働者を売って対価を得ていた。

それはひとり1日2、3000円で1ヶ月という契約での金額だが、まとまれば大きい金額であろう。安く見積もって2000円として、1ヶ月25日計算でも5万円という金額になる。大内さんが10人派遣しているのが事実なら、50万円という金額が毎月入ってくる計算になるのだ。

それを毎日あいりんセンターに来て、労働者を見つけるのではなく、寮に入れる人間だけを探して遠い現場に派遣していたのだ。

当然仕事を辞めたい人間はいるであろう。

人身売買や強制労働は当然法律で禁止されており、これを破ると重い処罰があるが、大内さんはそれを強い口調で断固否定した。

原発事故の作業にも労働者を手配した

――今までどんな現場に労働者を派遣しましたか？

「原発も孫請けで人を仰山送ったな、あれは日当がいいから人が集まるんや。それこそ募集したらすぐに人が集まりよる」

どんな現場でも派遣するという周囲の評判のひとつに原発の仕事があるのであろうか。日当が高いという評判だった東日本大震災の原発事故の作業員。果たして大内さんはいくらで派遣していたのであろうか。

――原発は日当がいいと聞いたことがありますが、いくらくらいだったのですか？

「日当は1万2000円やね、寮費も掛かるやろ。原発やから寮費はワシが出しとったな。遠方だから交通費なんかも掛かる」

あの当時の原発は、誰しもができれば行きたくないと思っていたために、高い賃金を払って雇っていた。きっと元請けはその倍以上の高い値段で請け負ったに違いない。大内さんは元請けから遠い立場なのは想像できるが、それでも大きく抜いたのであろう。ワシが寮費を払った、と大内さんは言い放ったが、当然それを払っても痛くも痒くもなかったからであろう。

大内さんの人夫出しの仕組みは分かった。

初めに借金を労働者に背負わせた上で、人を派遣しているのだ。上村さんとの大きな違いは、派遣された労働者を守るのではなく、いかにして労働者から搾取するかを考えている点だ。

もちろん上村さんも人を派遣して金銭を抜いている人夫出しだ。しかし仕事に対する情熱や誠意を考えれば、それは当然の対価であろう。

毎日抜いているか、まとめて抜いているかの違いもあるが、労働者の気分では毎日気持ち良く安全な現場に派遣されたほうがいいだろう。

上村さんが初めに語った〝あくどい人夫出し〟というのは大内さんのような形態を取っている人であろう。

そのような人夫出しはあいりんセンターの周囲には今も立っている。

また、大内さんのような人夫出しが普通の姿と言えるのが西成の姿である。

ついに辿り着いた〝西成の裏事情〟

――元売人　太田さん

24時間覚醒剤が買える街として悪評が高かった大阪・西成。

太子（たいし）の交差点や線路脇、コインロッカー前などにいつも売り子は立っていた。筆者の知る限り最盛期には30〜40人以上は立っていただろう。それら売り子は立つだけでなく、一時期はあるドヤを根城に売買を行っていた。

そのドヤは名前も経営者も変わっているが、かつては全てのフロアに覚醒剤関係者が部屋を借りて売買をしていた。そこは抗争をしている相手組織が売買していても見逃されていたような地域である。〝覚醒剤に代紋は無し〟という言葉がある通り、覚醒剤のシノギは抗争中も平然と敵対組織と行われていたのが西成だ。

筆者は西成の裏事情に詳しい太田氏という30代後半の人間を紹介してもらい、西成の裏事情を詳しく聞いた。太田氏は裏事情に詳しいが、今はそれらで培った人脈を生かしてまともな仕事をしているという。

彼が語ったその中には、今まで語られなかった驚愕の事実もあったのだ。

明らかになる西成の〝シャブ事情〟

――西成のシャブ事情を詳しく教えてください。

「ぼく、そんなに関わりないんですけど、売買の噂はチラホラは聞きますね」

知り合いの紹介で会った太田氏だが、初めて会う筆者に警戒をしているのが分かる。それは当たり前であろう。

――いまも24時間立っていますか？

「いまは売り子をする番もいないので24時間は立ってないですね」

――今、1グラムいくらですか？

「値段的なことで言うたら、グラムでは誰もさむがって（逮捕されるのを恐れて）買いに走らんからね。今は捕まったら罪重いやろ。だからまとめて買う人間はホンマに少ないんですわ。ぼくが聞くのはハーフ、つまり0・5グラムで1万くらい取ってるのとちゃいますか」

警察に逮捕された場合、末端価格でグラム6万円くらいで計算されるが、西成の裏事情ではハーフで1万円、つまり1グラムで買ったら倍の2万円であり、危険性は高まるがその分利幅も大きい。

あくまで警察発表の額ではあるが、ここには大きな開きがある。

――ハーフで1万円くらいですか？

「そうやね、それ以上出したら誰も買わへんしな。ここらじゃ」

末端の客はワンパケを1万円で買う。ワンパケは通常0・2から0・3グラム入っている。1回分の量は耳かき分くらいと言われるが、それは初心者の場合で、通常はワンパケで3、4回分にしか過ぎない。

たったそれだけの快楽に覚醒剤常用者は1万円という対価を支払う。

――安いですね。

「ぼくが知る限り、日にもよりますが高いとこでも1万2000円くらいですね。仕入れ先が捕まって卸元が変わったり、ホンマにシャブが少ない日もあるやないですか。そんなときは1万2000円でも飛びつくように買うんとちゃいますか」

覚醒剤で有名な組織が抗争していても覚醒剤が無くなることはなかった。抗争中でも相手組織に覚醒剤を売ることが当たり前の世界である。

覚醒剤の法令で麻薬特例法が成立し、覚醒剤のシノギは完全に地下に潜った。西成でもそれは例外ではない。

――関東では覚醒剤は高いですが、なんで西成では相場がそんなに下がったんですか？　商品がだぶついてるんですか？

「客がそんなにさむがって来ないんですわ。昔の西成は関西から集まって競うように買っ

西成では、夜になると多数の警官が巡回をはじめる。

ていたけど、今は時代が変わって、ホンマにさむい」

覚醒剤に関して一時期西成は治外法権とまで言われていた。ワンパケを売るほかに、1発覚醒剤を打つ商売まで成り立っていた。

1発売って2、3000円だったが、それをキメて仕事に行く西成の労働者も多く存在していた。

飯を食わなくても覚醒剤は欠かせない人間は多くいたのだ。

――関東だとワンパケ0・3グラムですが、ここらへんは0・2グラムが普通ですか?

「知っている人がやっているとこは、基本ちっちゃいパケで、0・2グラムくらいが多いですね。元々西成はそんなもんとちゃいますかね。ぼくが知っている限り0・2グラムですわ」

──警察は末端価格でグラム6万から6万5000円で計算していると言われていますが。

「ホンマにそんな値段で買うてる人間がいたら笑いますわ。僕の知っているとこやったらハーフでもキー（注射器）で2本くらいつきますね」

覚醒剤は盆と正月は値段が変わる。それはいつの時代でも変わらない。

覚醒剤の値上げがきついときは注射器で利益を得る方法が当たり前の世界だ。1本100円くらいの単価で業者販売されている注射器が、10倍以上の値段を付けられるときがある。

本来は医療関係者しか手に入らない注射器がなぜ市中に出回るのか。

その内訳は質の悪い中国製の注射器と、医療関係者からの横流しだと言われている。タチの悪い薬局が一般に売っている例もあったが、それらはすぐに警察の目に留まり、店の目の前で職質などをして、覚醒剤を使うであろうと思われる客を摘発していた。

別に注射器を持っているだけでは罪には問われないが、それを使用する目的が違法行為に繋がっていることが多く、注射器を買い求める客の尿検査をしたら陽性反応が出て逮捕されるというケースも多い。

多様化する取引の現場

――さっき客がさむがってると言っていましたが、先日売り子が立っていたのを見掛けましたが。

「少し前、ほんの数日前までは売り子は立っていましたね。一時期はホンマにいなかったんやけど、段々立つようになりましたね。だけど卸元からキツイお達しが出て、いまは立っていたらさらわれるんとちゃいますか。

だから電話で商売している人間が多いんとちゃいますか。ホンマに買えるのは近場だったら大国町（浪速区）とかやないですか」

電話でのデリバリーは、筆者が知っている限り20年前から行われていた。1回売り子から覚醒剤を買うと電話番号の書いた紙を渡され、次回からは決めた場所に配達をしてもらう方法だ。

当然デリバリー代は加算されるが、客にとっても捕まるリスクが少ないので重宝されていたのである。

――屋台でも売っていたことが話題になりましたよね。

「あぁ、一時期はそんな噂もありましたね。今は無いから言えますけど、屋台言うてもおでんとか焼き鳥とちゃいますよ」

――一体何の屋台で売っていたんですか？

「焼き芋ですわ。四角公園の前でしたわ。そこに普段は並んでないのに行列ができとるやないかい、と思って並んだんですわ。そしたら順番が来て渡されたのはシャブとキー（注射器）が入っている焼き芋の袋ですわ。みんなが早よせえ、みたいな視線でジロジロ見るからしゃぁないから高い金を文句言いながら払いましたよ。そんな出所の分からないシャブは人にくれちゃいましたわ」

世間で少し前に噂になりネットニュースにもなっていた屋台の正体は、おでんや焼き鳥ではなく焼き芋であった。

――いま、西成を歩くと〝覚醒剤を売るな〟とかのポスターが貼ってありますよね。

「あれはポーズですわ。居酒屋とか駐車場で売るな書いてますやろ、実際そんなとこで売ってませんって」

――昔、通天閣の下に売り子というか売人がいましたよね？

「えーはいはい。でも今は通天閣も観光地になってるから。大国町（浪速区）か西成の、名前は言えへんけど、目立たない場所とか。でもそこの売り子は立っているだけで、電話

西成の至るところで見かける「覚醒剤を売るな！」のポスター

してシャブを持っている人間に繋げてというシステムやね。シャブを持っている人間は車で動き回っているから」

シャブが欲しい欲求に駆られた人間はすぐに欲しがる。

時間が掛かったら客は他所に逃げてしまう。しかし、売り子が少ない現状では客は多少の時間を待つことを強いられるのだ。

――売り子の儲けはどのくらいですか？

「3000円くらいやないですか」

太田氏は口を濁したが、昔からこの地域の覚醒剤の売り子の取り分は、そんなものだったはずである。

覚醒剤の売り子が商売できる期間は最長で6カ月と言われている。しかし、6カ月でも十分儲けられる時代があった。身体を懸けても十分満足できる額を残せる時代があったのだ。

――昔は西成の街から出なければ安心だったじゃないですか。いまは逆ですか。

「そうですね。警察のほうも目が肥えとるから。他府県ナンバーでグルグル回っていたら一発で職質を喰らうし、シャブを引いた時点で捕まりますわ。だからホンマに西成の中では買う手配はできますが、簡単に手に入らないんとちゃいますかね。ホンマにここで覚醒剤を欲しかったら売り子が泊まっているドヤを見つけるのが早いんとちゃいますか。彼らのドヤは手入れが入るまで変わらへんから」

〝パチモン〟のブランド品事情

西成といえば覚醒剤というのが筆者の頭の中にはあるが、今度は西成を中心にミナミなどでも流行っているブランド品のコピー、つまりパチモンのことに話題を変えた。

一時期はパチモンと言えば大阪のメッカは鶴橋であったが、今、鶴橋はほぼ摘発されて場所は西成周辺に移っているという噂を聞いたからだ。

――パチモンはどこで売っているんですか？　西成で手に入ります？

「土日くらいですね。泥棒市で手に入りますね。平日はほとんどそれらを扱う人間はおらへんけど、土日は地方から観光客が来るやないですか。それをターゲットに売ってますわ」

泥棒市は深夜1時ごろから始まり、警察が動き出す朝7時ごろまで続く。

それが土日となると、通常は警察の取り締まりも緩くなるために朝の9時ごろに顔を出しても違法でない品物は道路上に置かれている。

——あのコピーのブランド品のランクはどれくらいですか。S級はいかないですよね？

「そりゃそんないいランクはないですよ。だけどたまーにS級もチラホラありますけど。いま泥棒市に卸しているとこが2軒あるんですけど。どっちかは質が悪いんですよね。ぼくが知っているとこはSランクとか置いていますよ。ホンマに質がいいんですけどね。それを売っている問屋によく行きますよ、買うとかやなしに遊びで顔出しに。ツレで古い知り合いやから。そこには韓国人もおるし、日本人もおるし。場所は言えへんけど、この近くに問屋ありますから」

やはり西成の近くにパチモンを扱っている問屋はあったのだ。

場所は教えてくれなかったが、大体の想像は付く。

——皆さんどれくらい儲けをのせてます？　例えば財布が5000円で問屋が売っているとして、泥棒市でどれくらいの値段で売れますか？

「6500円から、7000円までですね。ホンマに儲かってないとちゃうかな。

2000円のっけたら、十分とちゃいまっか。もうそんなもんですね。だいたいそんなもんですよ。高いとこもあるけど、ブランド品のパチモンの服とかはね。だいぶ質は落ちましたね」

泥棒市でブランド品を扱っている店は数少ない。それは仕入れという原価が掛かっているからだ。日銭で商売している彼らにとっては数千円という額は大きいであろう。

——泥棒市ってそこらへんのパチモンを扱っているショップに比べれば安いじゃないですか。でも質は変わらないですよね。

「まあ、そのまんまやからね。変わらないですね。質屋に持って行けばいまは目が肥えてるからばれるけど、昔はばれない質のパチモンがあったんですわ。高いと言われたら、高いですけどね。その知り合いの1軒だけですね、まとも言うたらおかしいけど、キチンとしたモノを売っているのは」

ブランド品のコピーであるパチモンの仕入先の正体は分かった。

泥棒市に出回る廃棄弁当の闇

次に聞いてみたいのは、泥棒市には欠かせない廃棄弁当だ。

1列100円ほどの安値で売っているが、供給元はどこなのか。値札などははがされていることが多いために未だに謎の商品である。

それを包み隠さず答えてくれるのであろうか。

――あの弁当はどっからくるんですか？

「それはホンマに言いたくないんですわ。知っているから余計に」

何か言いたくない理由があるのだろう。ダメ元でさらに聞いてみると……。

――噂は色々あるんですよね、だけど誰もが辿り着かずに謎のままなんですよ。

「大手のコンビニですわ」

――それは分かっていますが、その仕組みをご存知無いかと思って。

「いつも廃棄済みの弁当を届ける方法を見てまっか？　自転車で来ているんですわ。今は毎日とちゃうけど、少し前までは毎日自転車で届けられていました。今はうるさくなったから途切れ途切れで週に2、3回やけど、早いときで朝の3時には弁当並んでますわ」

安値で売られている廃棄弁当の人気は高く、並べられたら即完売で泥棒市に出ている人間はすぐにいなくなる。

――コンビニの廃棄弁当だったら管理されているはずだから横流しは難しいですよね。

「隠してもしゃーないんでハッキリ言います。近場の大手のコンビニですわ。例えば夜の

12時に廃棄する予定だった弁当を11時半にゴミに出すやないですか。それを11時45分に取りに行くとかの契約を、そこの経営者と結んでいるはずです。

ぼくは直接関わっていないので、詳細は分かりませんが、この地域大手コンビニばかりやないですか。だからどこのコンビニとかも想像は付きますけどね。そこはシークレットにしてください」

廃棄弁当の話題は本当に都合が悪く、事情を語るのは嫌だったのであろう。太田氏は渋々話してくれた。

そこで話題を変えることにした。廃棄弁当の入手ルートがある程度解明されたので、これで十分である。

旧あいりんセンターのゴミ問題

次はこの地域の中心である旧あいりんセンターにあるゴミの問題だ。

このゴミを巡っては立ち退きを含めて行政が訴訟を起こすなど大阪では大問題になっている。

――センターを中心に、使える粗大ゴミがたくさんあるじゃないですか。あれは集めているんですか？

「集めている人間もおるけど、ほとんどが夜逃げした部屋の荷物を業者が捨てたり、まだ使える家財道具や電気製品なんかを業者が捨てに来るんですよ。業者も処分したら廃棄料が掛かるやないですか。それを修理してリサイクルしたりまともなことをしている人間が多くいます。だからあそこらで寝ている人間のせいだけではないんですよ」

センターのゴミは大きな社会問題となっているが、それはそこに一時的に住む人間だけの問題ではなかった。そこにはリサイクル法などの様々な法律が絡んでいたのだ。

話を元に戻して、泥棒市について疑問点をぶつけた。

果たして太田氏は答えを持っているのであろうか。

――泥棒市って、あれ仕切っている組織ってあるんですか。

「いまは無い。昔はここからここまでは○○組、ここは○○組と決まってたんやけど、いまは分け隔てなくやっていますよ。だからよそもんが、あちらこちらから集まって来て商売しはじめる。平日なんかはいま知れた顔だけやからね。土日もちょっと多くなるけどいい場所に並んで店を出しているのは知った顔だけやね」

平日の泥棒市は10店舗くらいが店を出しているが、土日になるとその数は倍どころか50店舗以上はあるのではないだろうか。

それもいつも泥棒市をやっている場所だけではなく、南海電鉄の高架下を中心に広く行われている。

太田氏は裏社会の人間ではない。西成を中心に色々なことをしている人間だ。当然これだけの情報を持っているからには、過去には違法なことをしたこともあるであろう。

しかし、いまはそれらの怪しい人間とは手を切り、まともな世界で商売をしているという。

その人間に、ずばり西成は〝食える街〟なのか聞いてみた。

「ここで暮らしていて食えないということは無いですね。表でも裏でも何しても食えるんとちゃいますか。ぼくは今までの経験から人脈を掴んでいるので、ホンマにそう思います」

その言葉を最後に太田氏は取材場所から去った。話を聞き終えて時計を覗くと、もう朝日が昇る時間になっていた。

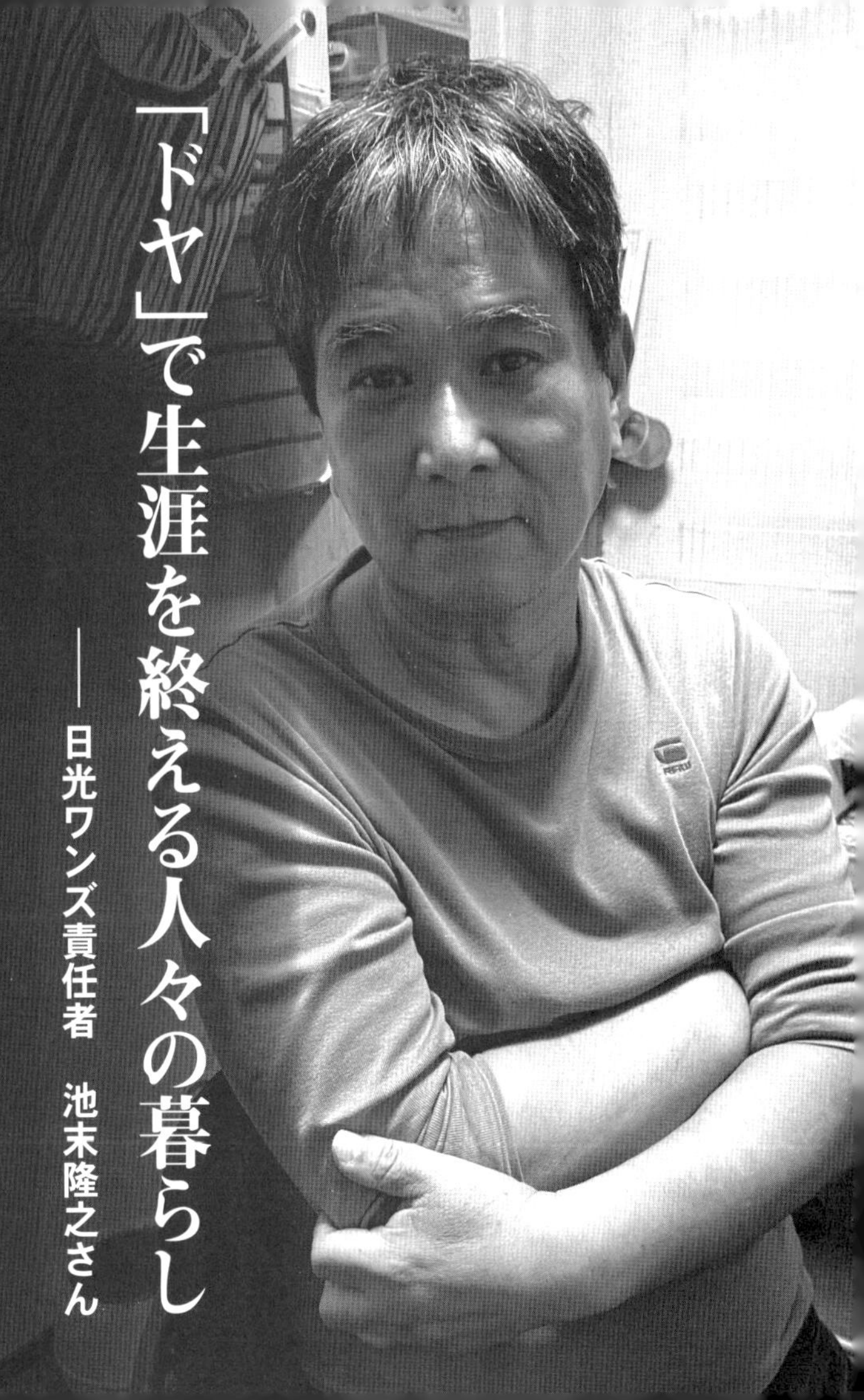

「ドヤ」で生涯を終える人々の暮らし

——日光ワンズ責任者　池末隆之さん

この項で取り上げるのは、ドヤの管理人を務める池末隆之さんだ。正式名称は〝有限会社日光ワンズ〟といい、統括責任者を務めている。西成の入り口に立つドヤの日光荘が、この会社のドヤであり、受付には池末さんが座っている。

ドヤとは簡易宿泊所のことであり、宿(ヤド)を逆に読んだことが由来だ。

「日光ワンズ」の現状

――このドヤって一般の方は泊めているんですか？

「一般の方は泊めていないです。インバウンドとか旅行者はやってないんですね。2001年の10月から福祉アパートにしています。共同住宅に登録したら、一般の方は泊めないでと指導されました」

ドヤは、宿泊客に左右される売り上げよりも、行政から手堅く毎月家賃が貰える福祉アパートに鞍替えした時期があった。それは池末さんが言う2013年頃だったのであろう。

――アメリカじゃないですもんね。

「それが西成の元々の形でした。うちのオーナーは何度か申請しにいって共同住宅ということにして。シャワーだけにしたりしたんです。ところが時代と共に法律が変わってきて。お風呂がないと家賃を下げると言い出したんです。元々ここら辺の住宅は申請すれば通っていたんですけど、平米数の面積問題が出てきました。あれが出てからここは11から16平米。みんなの共有部分もプラスしていいからということで認められたんですが」

アメリカには、一部の客室を居住用に変えているホテルが数多くある。客室と居住スペースが混在しているようなホテルだ。

――部屋の広さは3坪から3坪強ですか?

「部屋自体は2～3畳。共用部分があるからなんとかなっている。でも風呂付きじゃなかったらグッと下がります。介護用のために風

西成の入口にある「日光荘」の外観

呂は作っていますから大丈夫ですけどね。うちは全部一緒で3万6000円の年間契約で、その他の管理費などで月に4000円です」

――計4万円ですか。

「ずっとそれでやっていたんですが、最近寝たきりの人が増えてきて。ヘルパーさんが介護するのに手狭になったので、共有スペースと合わせて16平米を超える部屋を作ったんです。16平米を超えちゃうと家賃4万円を超える部屋にしています」

大阪市では、生活保護の住宅扶助費に対して規定が設けられている。11平方メートルから15平方メートルは3万6000円。7平方メートルから10平方メートルは3万2000円。それ以下は2万8000円という細かい規定だ。

――大阪市がそういう厳しい規制を出したんですよね。ここ何十年の間も移り変わりがあると思いますが、シャブの売人しかいないとことか摘発されたところありましたよね？

「まあ、基本的にはそういうところもあるんでしょうね。身元をちゃんと調べてないところ。うちの場合は年単位の契約者として住んでいるのが生活保護者。純粋に働いている人はあまりいません。その日暮らしはそもそもいません。生活保護者の中にも働いている人いますから、報告をちゃんと出して」

――法に従って働いている方がいるわけですね。

「うちの従業員にもそういう人います。来た時にお金がなくても、働く意欲がある人たちには1万5000だったらやっても構わないとか、若い人なら8万まで大丈夫とか、色々考えながらやっています」

生活保護法では1万5000円までの収入は保護費から引かれない。その金額までは収入報告をしていれば問題はないのだ。当然それ以上の収入は生活保護費から引かれることになる。

——今働いている方は何人いるんですか？

「12人ですね。管理人が僕の他にもう1人います」

——何部屋あるんですか？

「170室くらいあるんじゃないですか。人が入らなくなってきたから減らしてきているけどね。昔は170人いましたよ。喧嘩も多かったけどね（笑）。僕なんかも包丁5つくらい持っていましたよ、守るためにね。昔は喧嘩が多かったから」

ドヤと介護・福祉

——いまは高齢化していますもんね。

「いまは糞尿処理とか汚物処理の方が問題ですね」

――住民が高齢化で下の処理ができない？

「ヘルパーさんが入っているがそういうのが多くて、入っていない人にしてみれば、それが臭いとか処理の仕方が悪いとか、健康な人とそうでない人の間でいろんな問題が起きてきていますよね。だから昔は働いていて酒飲んで大声出して喧嘩をしたり。

大声も長い時間は出していられない。でもそれらも寝れば収まる、次の日になれば仕事に行く。労働者の街の姿があったわけです。それが段々、段々変わってきたと思うんです。介護が出てきたのが2012年くらいですよね。働けない人が出てきてね。あぶれ手当7500円貰っていた人たちが福祉に変わってきたと。そういう時代に変わってきましたね。その契機が2013年くらいだと思います。あっという間にそういう人で170室埋まっていったから。最初の頃は一番多い時でひと月15人くらい新規で入っていましたね。

その代わり、逃げる人も多かった。最初は保護してもらうわけではなく、働いている感覚だったから。働いたぶん日銭がもらえるから、借りて当たり前、という感覚だった。返せばええんやろ、だからまた貸して、と。それで払うのが面倒になったらどこかに飛んだりね。いろんなところを転々としてどこも相手にしてくれなくなるんやけど。福祉だけは受けたい、その時は福祉の返還金も増えて何十万になってるから毎月数万円を返す生活。

だからずっと金を返さないとあかん」

――〝福祉受給できます〟という看板をよく見ますけど、こちらは？

「うちはやっていません」

――あれは自分のところで囲い込んで、その間1、2000円貸して、お金が出たら返してもらう。その間うちに住んでもらう、ということですよね？

「基本的にね、ここらへんにいる人は一銭もないですよ。だから生活費として1000円くらい貸す。でも役所から生活保護が出た時にお金を返します。その場合は1日2500円で役所は計算しますから、申請した日から換算してくれますんで、1日1000円だったら返してくれる。相手の負担にならない。それが理想だから、それくらいはしてあげてもいいと思うんですよ。

その中で悪い人たちは、次に仕事するからちょっとでもお金を増やしてくれという人たち。そういう時は怪しい人。お金を借りてお酒飲む人ですね。1000円でも飲む人もいる。でも2500円の中なら問題ない。でも働けると嘘を言って借りる人たちはまずいと思う。生活保護の中でやっていくのが基本で、そういうことで僕らも受け入れていますから。僕も20年くらいここにいますから、色々な人を見ましたね。最初はいいけど人間最後は動けなくなるんですよね。そしたら真っ当な人生を送れる。そこまで時間がかかるんだわ」

――管理人をする前は何をされていたんですか?

「僕はこういう建物の建築とかホテルのフロントとか、管理業務とか学園都市ありますよね、原発の建築とか色々やっていました。

最後どこでやろうかな、と思っていたんです。ここは1日宿泊費が元々3000円なんですよ。だけど困らないだろうな、と思いました。うちのオーナーさんが今まで出会った中で一番いい人だから。表面は良くてもボロが出る人っているじゃないですか。でもここのオーナーさんは違ったんですよね。オーナーはいま、たくさん物件持っているんです。ハイツを50軒くらい作ったのかな? 僕が帰って来てから3ヶ月くらいしてから〝今度は福祉をやる〟と言って。それから色々あって僕がここの管理人になったんですよ。いい方向にいったと言いますかね。こじんまりした形のハイツなんかも自ら設計してね。ここ以外はどこも満室です。ほとんど入っていますから。それはオーナーが住民の人たちにお歳暮、お中元渡すとか相手を人間として見てキチンと見て接してちゃんとやっているしね」

世間の変化に踊らされる

ここで筆者が横に目を向けると、多くの人たちの処方された薬が目に入った。自己管理できない人の薬の管理をしているのだろうか？　その質問をぶつけた。

――薬の管理もしているんですか？

「何人かはしていますよ。自分でやったら失敗する人もいますから。好き勝手やってダメなら管理に入っていきます。最初は自立の方向で進めるんですけど、ダメな場合は手助けします。ここに薬置いたり、ご本人たちは部屋が小さいほうが動きやすいとかあるんですけど、ヘルパーさんが手助けをするなら部屋は広いほうがいいですね。施設に入ると自由さがなくなっていくでしょ。だから、オーナーさんとも相談して、2部屋繋げて大きい部屋を作ることにしてね。

この街自体が労働者から福祉に変わってきて。一時期インバウンドでやっていこうとしたんだけど全部回収できる前にコロナで終わっちゃった。街も私たちも変化に踊らされている。目標がないからですよね。昔は飯場から戻って来た人が便利だったけど、段々働けなくなって、仕事をする飯場自体が寮などを作って人を囲っているから戻ってこなくなった。

一般住宅に慣れている人は狭いからドヤには来ない。その中でみんな悩んでいろんな方向性にいくんだけど、なかなか難しいですね。変わっていかざるを得ないと思うんですけど、いい方向になっていくといいと思います。いまはコロナの関係でダメになるところもありますが、ここの膿を出すにはいい時期かなとは思いますね」

——池末さんから見た西成はどうですか？

「街自体が福祉に傾こうとしていたところで、インバウンドになっていく。やっぱり違うじゃないですか。希望に燃えている人がいる、悪いことしようと一方でダメな人らもいる。大阪府自体が音頭とって、インバウンド向けに色々改装をしたり作っているけど、本当にそれで困っている人がいますからね」

——ホテルが改装されていても閉めているところもありますもんね。

「何百万のお金を借りて改装して貸す予定だった人たちが流れてしまった。個人でやっている人たちが大変ですよ。私どもはマンションの方を充実させていって色々やっていっていいます。元々、敷金礼金取らないから。ここ以外に多くあっても満室。ここも１７０室は入るから。だから時代の流れに巻き込まれずにやっている。時代を機敏に変えていく人たちは、そこは儲ける。でも時代が変わったら、また変える」

住人たちの金銭管理

ここで池末さんを訪ねてきた人が窓越しに話しかける。

池末さんは金庫の中から千円札を渡す。

――いまのはなんですか？

「ここの住人です」

――現金は貸付ですか？

「貸付といっても利子もつかないから。立て替えみたいなもん。あの人は十何年も住んでいるから。今月は特にそうですけど、コロナで10万円の定額給付金が出るって酒ばっかり飲んでいて」

――大阪は支給が遅れていますし、いまの時期は生活保護が出ても無くなっていきますよね。

「でも80パーセントの人はまだお金の計算できる人。どこの世界もそうだけど、何パーセントかの人はお金遣いが荒い人。5パーセントは問題のある人。僕が管理人として感謝しなきゃいけないのは、80パーセントの手のかからないお客さんですね。でも一番親しく見えるのは5パーセントの人なんですよね。僕なんかはいつも感じているんだけどね。昔に比べると悪い人は減ってきました。刑務所帰りの人は必ず何パーセントはいますから。年に1人か2人かはいます。僕らが一番わからないのは窃盗の人たちね。ここでやるよりも外でやっているから」

――中でやると入れなくなりますもんね。

「出ざるを得ないですね」

どの世界でも言われるが、手癖の悪い人間は敬遠される。それは精神病としても最近は扱われることが多い。

――盗み癖は治らないですか？

「窃盗犯はわかりづらいね。クスリの人は前科などでわかるんで、またやっちゃった、というそんな感じ。僕らにちゃんと言ってくれれば、精神科の病院とか入れてなんとかなるんだけど、本人はあっけらかんと思っているからね、なんとも思っていない。便所にポンプが落ちていたよ、ああまたあいつか、なんてこともあったよね」

――今でも注射器が落ちているとかありますか？

「今はないけど、最後に見たのは2年前。今でも打っている人はいるみたいよ。今は平気だけど。更生する意思はあるんだけど、まとまったお金があると逆にダメみたいよ。お金を持ったら不幸になる人たちもたまにいます」

説明するまでもないが、注射器は覚醒剤のために使う。1万円で覚醒剤が買えるために、多少の金を持っていれば覚醒剤に変わってしまう。これが、昔からのこの街の風景だ。

――そういう場合、金銭管理はしないんですか？

「頼まれたらやります。やってあげないと。ヘルパーさんに私が買い物の指示をするとか。

受付では、住人の鍵だけでなく処方薬や現金の管理をすることも。

食費で使えるのは大体4万5000円から5万円の間。あと2万円の間で服を買ったりとか、雑費とか色んなものを買わないといけないんだけど、これもギャンブルやお酒に全部使っちゃう人がいる。そういう人にヘルパーさんがつくと身なりも良くなっていくね。それは福祉のおかげ。そういうちゃんと変わってくれる人たちが入ってくれると我々は嬉しい」

――普通の人に近づいていくところを見られますからね。

「食事は年取ると段々減っていくからね。今まで競馬、ギャンブル、それにいっていたものが変わって行く。負になりやすい要素よりも、いいモノを選ぶ。そうなると嬉しい。最終的にはみんな死んじゃうでしょ。

今コロナの時期だから葬式も出してないでしょ。去年までは役所が金出してくれるから近くのふれあいセンター、あそこでしてあげて仏を見送って、一心寺（いっしんじ）に行って手を合わせる。大体あの一心寺というのが、大阪の無縁仏が入るお寺さんですね」

一心寺は、西成の隣の天王寺にある由緒あるお寺である。歴史は古く創建は1185年と言われている。

――逆にこういうところだと、遺体はすぐに発見されますよね？

「そうですね、孤独死はなかなか難しいんだけどね。よく会っている人は発見しやすい。一般住宅と違って壁が薄いでしょ、音で分かるから教えてくれるんですよね。倒れた時に分かるんでしょうね。本人が苦しいと思ったら、廊下で誰か助けてと言えば済むからね」

ドヤが抱える様々なトラブル

――社会問題ともなっているゴミ屋敷とかあるじゃないですか。ドヤにもそういうのあるんですか？

「ありますよ。本人に言いますよ。半年経って手に負えなくなったらゴミとして捨てます。コミュニケーションは取れているから、テレビに出るような人までは無茶苦茶にはならない。結局あれは一言のコミュニケーションも取れてないんです。こういうとこで、コミュニケーション取れない人はやりにくいんですよね、住みにくいでしょうね。

家賃もちゃんと払ってくれる人も多いですけど。月にもらったお金でちゃんとしてくれたらそれでいいです、僕らは。お金を持ちすぎると、自分は他と違うんだって思い始める人もいる。上から目線で見るというのは、トラブルの元。あまり良くない」

――家賃滞納している人はいますか？

「今はいないね。前はいたけど。トンズラするやつとかね。いまは家賃だけは払うという風潮になってきていますね。泊まるところを確保しなきゃいけないから」

そこで池末さんは、何かを思い出したかのように言葉を続けた。

「あっ1人だけいるんだ、飲みにいって今月分が払えなくなった人。役所への同行を外して、今月1人で行ったら早速。まあ想像はしていましたけど。

だから支えてあげないとダメな人は必ずいるんだって。人権派の弁護士みたいに、それは悪がやっているんだと思われるのが一番困る。あんたらがやっていることが、この人たちにとって一番ダメなんだと。権利ばかり主張して。悪いことは悪いんだから、ギャンブル依存症等の人はなかなか治らないんだから。

家族関係から何から全部壊してもうまくいかないんだから、よっぽどじゃないと治らない。アルコール依存症も同じ。でも年取って体を壊すからね、酒は。僕もずーっと見ていて入院させたくても本人が拒否するとダメだからね。救急車は本人が意識あるとダメだと救急隊員は言うんですよね。そのタイミングは難しいだろうね。生死のことだから。本人がもうダメだというところで生き延びる人は運がいい人。タイミング悪くて病院送って死ぬ人もいるでしょ。うちでもいましたよ1人。コロナで面会にもいけなかったけどね。

本来なら精神科に送って3ヶ月くらいいさせて体力戻してあげたいんだけどね。そして3ヶ月経ってからまた飲むというね。そういうのを何回も繰り返して、自分が嫌になる人もいるんだろうね。でもそういう手がかかる人間は、その時はイラっとするんだけど頼られたら、まあしゃーないなって思うんだよね。それが依存症との付き合いだと思うからね」

ほかの項で取り上げているが、池末さんは、役所に生活保護費を取りに行く際に業者が立ち会うことを肯定する。確かに、一時期問題になったように貧困ビジネスの業者が取り立てのように同行するのは問題だが、事情があって生活保護を受給している人間に同行するのとは意味合いが違うのは、池末さんの話を聞いていて理解できる。

「終の住処」としてのドヤ

——この街をどのように変えていきたいですか？

「僕は変えたいとは思っていません。この街はもともと働く人の街だったんだけど、その人たちが働けなくなったら。やっぱり人間は最後死に場所を探すじゃないですか。終の住処と言いますか。その住処がここだ、と。畳の上で死にたいとか、色々言うんだけど。僕らとしたら病院で亡くなって欲しいから、ちゃんと管理するんだけど。ここで亡くなる人もいるけど、そういう人は病院を通してここで死にたいと言うんですね」

——不動産屋の場合は、事故物件ですよと告知する義務があるじゃないですか。そういうことは？

「特にやらない。改装はやるよ、でも告知義務はないからそれはやらない。ここらあたりでそれやったら、キリがないんじゃないかな。それを求めている人もいないだろうし。あまりキチっとやりすぎちゃうと、不幸になる人たちがいるんです。

行政とかでキチンとしよう、キチンとしようとする人たちがいる。でもあの人たちは最後まで看取れないじゃないですか。だからよっぽどのことがない限り、できる限り見て見ないふりしてあげたい。これはなかなか難しいんだけどね。その人たちがボチボチやっていける環境を作らないといけないと思う。

こぼれた人間たちですよ、確かに。でもちょっとした希望とかあるわけじゃないですか、その中で静かに生活したいわけ。オーナーによく言われるんですけど、ここでは選別しないことにしている。中には自慢話をする人がいますよ、人を何百人使っていたとかさ。言うんだけど、それがなんなの。今はこういう生活なんだから。

でも死んでから役所が連絡とって、葬式とか色々あるじゃないですか。物を整理しに来てくれとか。今までいっぱいここで死んだと思うけど、葬儀に来る人は10人もいる人は人と交流できていたんだなと。このあたりでも生活保護ずっと受けていて、何年前かに年金のこと調べ始めたでしょ。それで無かったと思ったのに年金が出てきて、それでお金返した人もいるし。何百円単位で」

――ここで自殺した方はいますか？

「自殺未遂は1人いるんだけど。死んでやるって7階の屋上からロフトの屋根にバーンと飛び込んでね」

ここで女性がフロントの前を通ったので、不思議に思って尋ねた。普通のドヤは女性が禁止のほうが多いからだ。

――女性も住んでいるんですか？

「そうですよ」

――そこは普通のドヤと違うんですね。

「酔っ払って色々やって警察に捕まって。それで保護観察つけて、ここに薬もあるんですが、それでおとなしくなったんです。そういうこともあるんです。女の人は、いまの人ともう1人いるんですけど、その人も一般入居なんですけど、なんか訳ありなんだろうなって。

まあ1、2ヶ月で出て行くんだろうなって思ってたら、足も骨折したらしくて。そしたら部屋にこもりっきりになって本当に具合が悪くなったんでしょうね。救急車呼んで命助かって。部屋を見たらある程度お金あって、それじゃ生活保護受けれないから年金とか色々面倒見てあげたんだけどね。それで今はなんとか普通に生活できているんだけど。

人間って放っておいたらどうなるか、失敗することすごくあるんです。ただここの雰囲気に合わない人っているじゃないですか。それをここに入れるとだいたい失敗する。若すぎてガンガンやる人とか」

――今の年齢層は？

「50代からが多いですね。一番若くて30代かな。あと元ヤクザ系とかそういう人たちは持たない。保護でやっていくというのは、毎月8万だからそれができる人というのは、それなりに年取った人とか体壊した人とか、ある程度わかっている人が多いですね」

――門限はあるんですか？

「夜は11時。朝は4時から。働く人がいるというより、お腹空いている人がいるんじゃないですか。もともとここらあたりの宿泊所が夜閉めているのは覚醒剤の売人が多いから、簡易宿泊所組合の決まりがあったんです。規定が」

たしかにこの地域のドヤでは裏から抜け出して覚醒剤の売人の元に買いに行くというようなことはよくあるが、規定があるのは初耳であった。

――では、一部のホテルは違反しているんですか？

「いまはわかりません。うちは２０１３年に共同住宅に変わっちゃったから。その当時はドヤの規則はあったはずですよ。この街で売っているのはみんな知っていますしね」

池末さんは人との距離の取り方を知っている。管理をしていないようで、人を見極めて接しているのだ。人は管理社会の中で生きている。その中でも、この街に流れてきた人は管理されるのを拒絶し、拒否された人間たちだ。それを見極めてうまく管理人としての仕事をこなしている。

普通のマンションの管理人のように、掃除と建物の管理をしているわけではない。それに加えて人の管理をして、優しく見守っているのだ。決して楽な仕事ではないだろうが、それを日夜こなしている池末さんの人間能力には感服する。

路上生活者を支える炊き出し団体

——「志絆会」代表　樋口順三さん

この書籍を作るに当たって、絶対に取り上げたいテーマのひとつが〝炊き出し〟だった。真面目にこの地域のことを考えて炊き出しをしている方々の話を聞きたいと思っていた。

多くの人からの情報をもとに、西成で炊き出しをしている団体ならカレーを地域の人々に提供している「志絆会（しはんかい）」に話を聞くべきだとの意見が多く、興味を抱いた。

その理由は、西成に住む人々の信頼を集め、長年にわたって西成で炊き出しをしている支援団体だからだ。

今回取り上げるのは、西成で月に1回炊き出しを行っている「NPO法人炊き出し　志絆会」だ。

このNPO法人はインタビューに答えてくれた樋口順三氏が1997年4月に、路上生活者を助ける目的を主に設立されたが、会の歴史はもっと古く、阪神淡路大震災のころから活動を続けている。

インタビューには代表者の樋口順三ご夫妻と、その娘さんで志絆会の副理事を務める西川多恵子さんが参加された。主に代表者である樋口順三氏が話し、それを補佐するように奥様と副理事の西川さんが口を添えてくれる形になった。

取材自体は新型コロナウイルス蔓延前から許諾して頂いていたが、緊急事態宣言が明けてある程度の移動が可能になってから、すぐに志絆会の事務所にお伺いをさせて頂いた。

炊き出しをはじめたキッカケ

——今はコロナで炊き出しを中止されていると聞きましたが。

順三「せっかく来て頂いたのにコロナで中止になってしまって。学生さん中心にたくさん集まるので、もし万が一何かあったら大変なので。現在は調理場がコロナの検査場になってしまっています。飛田の組合の会館を使わせてもらっているんで、ご迷惑はかけられません」

志絆会の炊き出しは、いままでは国民食でもあるカレーライスを配っていた。その調理場として使っていた西成の永信防災会館が使えなくなったので、いまはお菓子を配っているという。

——活動に参加されている方の年代は？

順三「高齢の方もいますし、16、7の学生の方もいます」

——もしコロナが感染したらえらいことですからね。

「医療従事者の方も多いですから、そこから感染したら大変です」

——活動を始められたのはいつごろからですか？

順三「神戸の震災のころからですから、１９９５年ですか。カレーは97年から始めました。それ以前の96年から97年の間は旧センターの掃除をしていました」

——どうして炊き出しをしようと思われたんですか？

順三「アイリーンさんというシスターの方がいらっしゃいまして。その人が神戸で人々を助けていらしたのですが、あの地震の1年後に〝老人の心のケアをするのをやめて西成に行きたい。ついてきてくれるか？〟と言われ、それで始めたんです」

志絆会のウェブサイトから一部抜粋させて頂く。

１９９６年、震災翌年に英国人アイリーン・ジェンキンスさんが「神戸震災の仮設住宅の心のケアをしているのですが寄付金をお願いできませんか？」と現志絆会の発起人が集まっていた立食パーティー中に突然入って来られ、その場の出席者に寄付を募ったところ7万円の寄付が集まりお渡ししました。

それ以来、志絆会は西成でボランティア活動を続けている。

――志絆会の名前の由来はなんでしょう?

順三「発起人の1人である、堀内さんという方が作ったのかな。〝志〟というのは弱い人を助ける、そういう精神ですね。そういうのがあるから二十何年も続いているわけですね。そういう気持ちがなければ数年で終わっているでしょう。

元々〝志ネットワーク〟という勉強会があったんですけど、そこに参加していたアイリーンさんという方がいて、一生懸命弁当配りとかもしていましたが、1年で帰国されました。その流れで私たちがカレーの炊き出しを始めたんです。〝志ネットワーク〟の〝志〟と、〝絆〟というのと、〝会〟を合わせて〝志絆会〟と命名しました」

活動が認められ、寄付が集まる

――皆さんが炊き出しを行うのは、何か西成を変えていこうというお気持ちからですか?　それとも現状のまま住民のみなさんの生きる望みを絶やさないようにしよう、という感じでしょうか。

順三「まあ後者でしょうか。それ以上のことは皆さん仕事も持ってらっしゃるからね。この活動はあくまで無償です。

ですから発起人が始めたことを、そのまま引き継いでいこうというのが私の考え方なんです。責任というか義務というか。実際月1回やるだけで大変ですからね」

――本来は行政がやらなきゃいけない仕事ですもんね。

順三「裏では、生活保護受けている人はあなたたちのカレー食べて欲しくない、とか色々言われているみたいですけど、そんなことは私たちには分かりませんからね」

生活保護費は住宅補助、生活補助、医療補助の3つの柱で成り立っている。食費は生活補助から出ているので、行政にしてみれば当たり前の話だが、実際にそれを確認する権利はない。集まって来る人に生活保護受給証明書を見せてほしい、とは言えないのだ。

――当然来られたひとには全員食べてもらいたいですからね。

多恵子「結局ね、おっちゃんらがお腹空いてるのを少し満たして。ええことかどうかは分かりませんけれども、継続していくことでちょっとでも彼らにいいことがあれば」

順三氏は筆者に、炊き出しを始めた当初から使われていた、カレーを混ぜる太い木べらの棒を見せてくれた。

順三「これがここ1、2年で折れたんです。昔からカレーを混ぜていた棒なんですが、

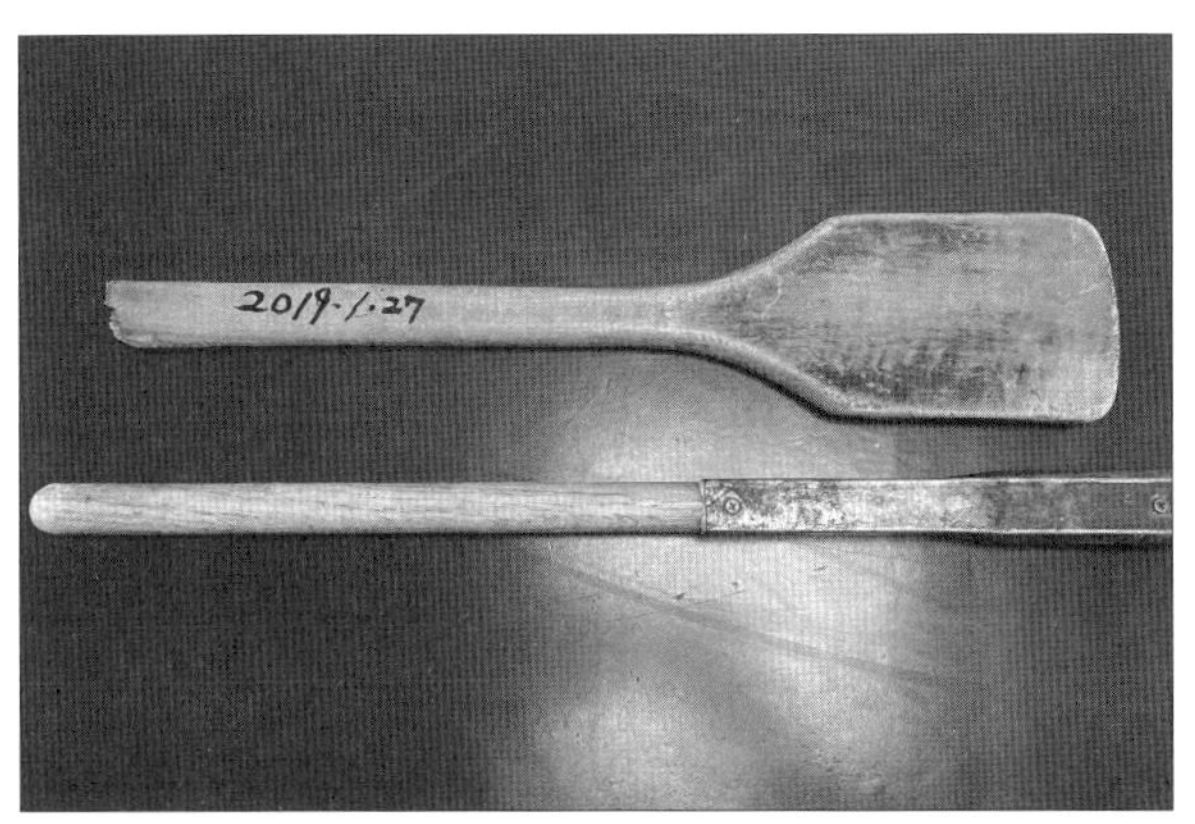

折れてしまった木べらが、炊き出しの大変さを物語っている。

捨てられずにとっています」

こんな太い棒が折れるのだから、余程の労力がいるであろう。樋口さんの奥さんが口を添える。

妻「20年以上使っていたんですよね」

——カレーは何人分作っていたんですか?

順三「当初は1200から1300くらいですかね」

——それほどの規模だとお金もかかりますよね。炊き出しに私財は放り込みました?

順三「寄付で、玉ねぎとか米とか結構色々なモノをいただいています。別に贅沢せずにご飯を食べていけたらええやん、という感じですかね」

謙遜しているが、実際には私財はつぎ込

んでいるはずだ。

――カレーは結構本格的なもののようですね。

妻「前は野菜もちゃんと切っていたんですよ。玉ねぎはソテーしたり」

――炒めるところからやるんですか？　家庭料理でも今そこまでやらないですよね。

妻「スタッフがソテーしてくれっていうからね。やっぱり玉ねぎは炒めた方が美味しいですしね。玉ねぎも淡路島の最高級のを寄付でいただいてますから、そりゃ美味しいやろって」

――活動が認められてそこまで寄付が集まってくるというのは、ありがたいですね。

多恵子「古米を寄付していただくこともあるんですけど、それは最近断ってます。自分が食べられへんものを他人に食べさせるというのもちょっとどうかと思うので。そこは良いものを買わせていただいたり。

あとお米は飛田飲食店組合の方からの寄付もいただいています。備蓄用なんですけど、ご厚意で〝悪くなる前に使ってください〟ということで。ものすごく大事に使わせてもらっています」

と娘の多恵子さんは、炊き出しのこだわりについて口を添える。

――多恵子さんはご両親の姿を見てこの活動を始められたんですか？

多恵子「そうです。ほっとけないな、と思うたんで」
――その姿を見たら親としてもうれしいですよね。
妻「この子も朝の4時前くらいから米を炊いていましたからね」
――志絆会のイメージを変えたのも、多恵子さんが本格的にやられるようになってからですか？
多恵子「私がＮＰＯにしたんです。5年くらい前ですね」
――実績ありますからＮＰＯにした方がいいですよね。
多恵子「ちょうどその頃に資金が底尽きそうになって、どうする？　と悩んで。それならば法人にした方が助成金をもらいやすいと思って、自分で作ったんです。そして2年連続でもらえました」

楽しい炊き出しの現場

――皆さん、炊き出しは楽しいですか？

妻「楽しいですよ。炊き出しに来る人はほんまパラダイスやな。音楽やってはったカレー配るボランティアの子なんか、ステップ踏みながらカレー提供しとったもんな。おっちゃんも踊ってるし、あれはほんま楽しかったね」

――いまも炊き出しで音楽をされているんですか？

多恵子「最初アイリーンさんと来ていたジョージさんという方が音楽やっていたので。そこで何気なくやりはって。発起人の1人の中松さんもギターできるというし、私も歌が好きだから、そこから始まって15年くらい音楽やっていますよ。

そのうちパーカッションやる人も出てきはって、今はみんなで国に帰国された方もいるので、リモートでセッションしていますよ」

――炊き出しをしている横でやられているんですか。

多恵子「そうです。だからおっちゃんらは食べて、その横で音楽やって踊って。そこにまたうちの可愛い女子大生スタッフが、おっちゃんらの肩揉むんです。そしたら女の子の前だけに行列ができてね（笑）」

――若い女の子と接触少ない地域ですからね。

順三「そら嬉しいやろうしな」

――多恵子さんはそれを見ているのですか？

多恵子「スタッフが口説かれてないかは監視していますから、もし絡まれていたらさーっと連れて行きます」

――だけど学生の方にとっても、普通ではできない経験ですよね。

「良い経験しました、って言ってもらえればそれで良いんです。学生さんは2、3回くれば良い方ですけど、人生経験になればなって」

炊き出し活動の現状

――今炊き出しのスタッフは何人くらいですか？

多恵子「軸になっているのは20人くらいかな。単発というか準レギュラーは10人くらい。他に学生さんが15人くらい」

――20年前はボランティアにはそこまで若い子は来てなかったんですか？

順三「来ていましたよ。口コミで。まだネットもなかったし、ほぼ口コミですね。毎回20人くらいは来ていました」

――学生さんは昔に比べて増えました？

多恵子「増えましたね。多分ウエブサイトを明るい雰囲気で作ったからだと思います」

多恵子さんが作成した志絆会の公式ウェブサイトは非常に斬新で、若者受けするデザインである。

活動内容などが分かりやすく、明るく社会貢献していることが伝わってくる。同サイト内の活動報告を見ても分かるが、参加者も非常に楽しそうに炊き出しを行っている。歌を歌ったり、ギター演奏に合わせて踊ったり歌ったりしているのだ。

実際に筆者の知り合いも志絆会の炊き出しに参加した経験を持つが、非常に楽しそうにその日の出来事を話していたのが印象的であった。

しかし、あいりんセンターの閉鎖と、新型コロナウイルスの蔓延は西成にも影響を与えた。

――やはり以前よりも人は減りましたか。

妻「今もいるんですけど、昔はもっといっぱいいましたからね。センターの周りをぐるっと1周するくらいいいて。で、量をどんどん増やしたんですけど、それでも配れていましたから。今はコロナでちょっと人数いないから、減らしていますけどね。西成のおっちゃんからはなんか不思議なエネルギーを私らももらうので早く再開できたら良いんですけど」

――今長雨ですし、仕事にあぶれている人いるでしょうしね。

多恵子「失業された方もいるでしょうね。食料不足も発生しているだろうと感じていますけど。炊き出しは月1回だけど、カレー以外の日にはパンやドリンクを配ったりしています。逆にお菓子とかの現物を配る方が値段は高いです」

――変な話、お金のたかりとかにあったことは無いんですか？

妻「昔はよくせびりっていうか、お金頂戴って言われたけど最近あんまりいませんね」

――生活保護をもらっている人が増えたからでしょうか？

多恵子「福祉アパートが増えて、ある程度の方は福祉を受けているからですかね」

――皆さんキチンと食事を摂れているのでしょうか？

多恵子「炊き出しに来られていた方のこと、心配になりますよね。食えているのかなとか」

――皆さんから連絡とかはありますか？

多恵子「電話かかってきたこともありますよ。何も食べてないって。どうしよって思うんですけど、次かけてもだいたい繋がらないんですよ。どうなっているのか分かりません。お金貸してやって電話もありました」

――お金を貸すんですか？

多恵子「いえ。法人でそれは勝手に決済できないからということで。取りに来るなら来てほしいと。でも〝ぼくは京都だから来れないし、こっちは炊き出しもない〟って言わはるんです」

――京都は炊き出しとかは無いんですか？

多恵子「無いって言うんですけど、どうでしょうね」

3人の話を聞いていると、炊き出しはもちろん普段から西成のおっちゃんたちのことを気にかけているのが、よく分かる。

――炊き出しをされていて思い出に残っていることなどありますか。

順三「ケーキくれはった方もいるしな。年末に1つ100円のショートケーキを1000個も用意してな、〃わしは昔西成でお世話になった〃ってそれを配るんです。ほんで1年ずっとあいりん会館のとこでおっちゃんらにマッサージしてな、そして12月になるとケーキを配って。あれはすごい人やったな」

――逆にトラブルなど、大変だったことはありましたか？

順三「この前ね、最後の炊き出しの時えらい威勢のいい兄ちゃんがきて〃俺を待たせるとはなんちゅうこっちゃ！〃って。ほんで喧嘩なりまして。シェルターの何人かとどつきあいの喧嘩になりましたね、アメリカで問題になっているような警察が黒人の首を押さえつけるような、ああいう状態になりました。

あんた何を言うてんねんて、奥でカレー作っとる女性たちが怖がってるやんて言うたんですけど。〃いや、わかっとんねんけどな〃って」

――シェルターでカレーの順番を待っていたんですか。

順三「今うちは1階を借りて解放してもらっているんです。そこで喧嘩になったんです、本当にいろんな人来ますから。今はコロナでうちは登録している人しか来れなくなりましたけど。60人くらいかな、その問題が起こった時は」

――そのような血気盛んな人はまだいましたか。

順三「稀にそういう人もいますけど、ここ数年はおとなしいですね。昔は荒くれ者もいましたけど。並び方を変えただけで暴動になりそうになったこともありますし。あれは怖かったですね」

やはり西成は一筋縄ではいかない場所だ。それなりに苦労もされているに違いない。

西成以外での活動も

普段は大阪の西成地区を中心に活動している志絆会だが、2011年に発生した東日本大震災のときは東北まで足を延ばしてボランティア活動を行ったという。

――あいりんだけではなく、ボランティア活動で全国に行かれていると聞きましたが。

順三「東北の地震のときは、5月と7月に2回被災地に行きました。5月は物資だけ持って行って。7月は南三陸の志津川高校でカレーの炊き出し200食しました。

水も出ないからペットボトルに入れて、プロパンも用意して、寸胴も送って。現地の方には〝大阪からありがとうございます！〟と言っていただいたことを覚えています」

――ありがとう、というその一言で救われますよね。

「ちょうど仙台空港開いたときだったんで、車組と現地で待ち合わせして向かいました。炊き出しを終え、最後帰りにスタンドでガソリン入れた時に〝大阪の人がこれだけしていただいているのに、地元の人間は何やっているんだ〟って怒ってはりました。厳しいなって思いましたけど、あの頃は色々極限状態でしたもんね」

――いろんなところへボランティアに行かれてるんですね。

順三「神戸の震災の時は小池百合子さんが選挙区の関係で伊丹事務所だったんですよ。そこを拠点にしてイエローハットさんとか元横浜市長の中田さんと連携して街のゴミを綺麗にして鳴尾浜に捨てに行くという作業をしてました」

――イエローハットとはあの車のパーツのですか？

順三「イエローハットの創業者の方を私は尊敬しているんですね。考え方や生き方を尊敬するところがあり、会合に来てもらってました。そこから繋がりがあって。私は昔不動産をやっていたんですが、バブルで１００億くらいお金が消えてしまいまして」

――ご自身も大変な思いをされてますね。

順三「ええ。私は以前、淀川も大和川も掃除していました」

その掃除活動は樋口さんが尊敬してやまないイエローハットの創業者の鍵山秀三郎氏の〝日本を美しくする会〟の考えから来ているのであろうか。イエローハットは社員の掃除活動や収益の一部を社会に還元しているという。

そのような精神を引き継いだ樋口さんが現在も西成で無償の炊き出しを行っているのには納得させられる。

信頼が築き上げた、飛田新地とのつながり

――最近、冷やかしというか西成にユーチューバーが来て「日本の闇だ」みたいに寝ている人を映したりしてるのをご存じですか？

順三「そうなんですか？　それは嫌やな」

多恵子「もちろん撮影はだめですが、飛田もよう上がっていますね。あそこの組合は徹底していますから、張り紙して緊急事態宣言がでる前から店閉めてましたしね。抗体検査して誰も出ませんでしたと発表もしてました」

――私の話をさせていただくと、飛田の中に入って実録ドキュメントを書いた人は１人

しか知らないんですが、それだけガードが固い。なぜ皆さんは、飛田の組合とそんなに関係が良いのでしょうか。

順三「隠すこともなく、素直に言いはりますね。私らは徐々に信頼関係ができているのかなと思いますが」

——よくあの閉鎖的な中に入れましたね、信用ですね。

多恵子「最初は飛び込みだったんですが、よう入れたなと思います。こういうカレーの炊き出しされているんでしたら大歓迎ですと。会長は徳山さんというんですけど、避難訓練の時は1000人規模なんですけど前に出て喋れって言われたり。こういう完全無償の活動に関わっているのが嬉しいのかもしれませんね」

あいりん地区と、かつての遊郭の流れをくむ飛田新地は隣接している。飛田の組合が志絆会の活動に協力を惜しまないのは、ともに大阪で生きる人間同士、助け合いの精神や人情からくるものなのか。

——大阪って、喫茶店入って水をもらっても「ありがとう」っていうじゃないですか。東京じゃ言わないんですよ、当たり前だから。だから大阪の文化ってすごく良いと思いますよね。

多恵子「おっちゃんたちって地方出身の人が多いと思いますけど、ありがとうって言いますね。心底嬉しいのかなって。マスク配った時も喜んでくれました。最初はマスクもなかったんで、作ったんです。100枚くらい。それがNHKで放送されて、そしたらまた寄付が毎日のように集まってきたのでそれをコツコツ届けながら。自分だけでは限界ありますから、皆さんに協力してもらって。ちょっとは役に立ったかな」

——何枚くらい配ったんですか?

多恵子「100枚は手作り。そのあとは1000枚の寄付もありました。なくなりかけた時に、1000枚いただいて、すぐ持って行って。つながりで成り立っていますよね。支えられて生きているっていう感じですね。お金が尽きるかなって時にまた色々助けてくれる方が出てきた」

「二十何年、1回も休んだことがないのが誇りですわ」

——いま炊き出しをやられてる団体って結構ありますよね。教会とかでお粥出したり。

多恵子「女性で西成を中心に活動されていた若い女の子で川口加奈ちゃんのNPOは一生懸命にやっていました。いまは北区に拠点移していますが、いまも頑張っています。ほかには石黒さんという方のところは週3回」

――継続は力ですよね。

多恵子「父の人間関係というのもありますけどね。昔からずっとやられている樋口さんだから協力しましょうというのが多かった」

――西成で炊き出しができなくなった時期もあったと聞いていますが。

妻「前に西成でカレーが配れなくなって、問題になって長居公園という所にいって、最終的に天王寺公園にいったんです。その時はえらい暑くて、おっちゃんたちもいなかったもんだからカレーだけ残ってしまってね。それでも主人が阿倍野地下街へ行ってゾロゾロおっちゃんらを連れてカレー食べさせたこともありましたね。なんやろうねえ、不思議なこともあるというか、神通力みたいなのあるんかな」

――不思議ですね。

順三「不思議といえば不思議やわね。金儲けしたいとか有名になりたいとか、そういうの一切ないですから。今二十何年、1回も休んだことがないのが誇りですわ。それが炊き出しやっているのと関係なく、商売のほうでも信用が自然と身についてくる。お金底ついてるのにやっていけてるいうんは、すごい人に協力してもらっているということですね」

――参加した延べ人数というのはかなりいるでしょうね。

順三「年間で200人くらいかな。それを二十何年やっていると思ったら相当ですよ」

――先ほども聞きましたが、資金的にも自分らだけではキツイものがありますよね。

順三「ギリギリまでいったから、助成金出てから買えました。コンロもそうだし、ウェブサイトも助成金でやれました。ちょうどその時にスタッフの世代交代もあって。亡くなった方もいますしね」

――最期まで西成にご尽力された方もいらっしゃるんですね。

順三「死ぬまでカレーを配りに来はった人もいますね。脳梗塞やって次は来たらあかんよ、言っていたんですけどそれからも来るようになって。場所が飛田に移った時がすごく暑かったんですけど、その時くらいに体調崩して亡くなりはったんです」

その言葉のあと、奥様がボソッと呟いた。

妻「いろんな体験できて幸せやな……」

長年活動を続ける原動力とは？

――改めてお聞きしたいのですが、なぜ現在にいたるまで長年炊き出し活動ができたのでしょう？　その原動力とは。

妻「地方から見学で若い子たちが来た時、色々センターの2階とか案内するんですけどね。そしたら貴方と同じで〝なんで炊き出しをやられているんですか〟と質問されます。そしたらね、助ける気持ちもあるけど、明日は我が身だと思ってやっているって言うんです。主人はバブルの恩恵も受けてきましたから、その戒めというのもありましたね。なるべく人に頼らずに自力でやれるようにと思ってやっているんですよ。そう答えたらお兄ちゃんも〝そうですか!〟ってわかってくれます。〝うちの息子あかんねん、ちょっとお願いします〟と言われて子供さんを活動に参加させに来る人もいますよ」

西成には毎日のように炊き出しをして労働者や貧困層を支援している団体は多くある。しかし、そこの裏側にはドロドロした背景が見え隠れする団体も正直あるのだ。

今回紹介した志絆会はそのような背景を一切持たずに、純粋に人を助けることを根本とし人を助けることを当たり前としている。親子の断絶が世間では言われるが、この樋口さん一家は親子で人を助けている。とても良いことである。

また、西成の住人を〝おっちゃん〟と遠慮なく呼ぶことのできる距離感からも地域に溶け込んでいることが理解できる。新型コロナウイルスが収束ではなく、終息したら、また志絆会のカレーが食べられる日が間違いなく訪れる。その日を心待ちにしている人は数多いであろう。

志絆会は西成には決して欠かせないモノのひとつである。

〝元組長〟が語る、西成の過去と今

——ハシケンさん

この項で取り上げるのは、元ヤクザの組長という経歴がありながらも、更生を果たし、現在は西成で介護事業を始め、不動産や立ち呑み屋などを経営する〝ハシケン〟さんこと肥村健二氏だ。

西成で〝ハシケン〟さんの名前を知らない人間はいないと言っても過言ではない。それは悪名としてではなく、西成の住人に好かれているのだ。

組長から介護事業者へ

——最後に懲役を終えて出て来たのは何年ですか？

「平成25年に出てきたのかな。パクられたのが平成22年」

——罪名はなんですか？

「恐喝です。組からは形式上破門という形で。そこでうちのオヤジ、つまり親分ですね。その人からもう一度戻ってこいという話をしていただいたんですが、オヤジがついて行った先が個人的にあんまり好きじゃなかったんで。そんならもうカタギになると断言しました。オヤジとはこれまで通り付き合いはさせてもらうということで」

――苗字が変わっているのは、親分の養子になったからですか？

「そうです、養子ですね」

――じゃあ時代が違えばそこの組の跡目だったんですね。

「いや、そういう気持ちは全然無いですよ。それはオヤジにも言っています。オヤジがどこの組に行こうが、それは無理やと。

やっぱり、いま介護事業やってますんで。ヘルパーとかお年寄りとか、障がいがある方とかの就労支援をしているんですよね、その子らが僕を頼ってきてくれてますんで。その方たちを裏切って今更元に戻れないですよね」

――役所と絡んでいるわけですからね。もう何年くらい西成にいらっしゃるんですか？

「僕はね、刑務所から出てきてすぐ西成に来ました。元々は堺なんですがね。ヤクザとしての事務所が堺でしたから」

意外と知られていないが堺もヤクザの激戦区であり、多くの組が事務所を構えている。その気性の荒さは、だんじり祭りで有名な岸和田などが隣接している泉州（せんしゅう）という地域で分かるであろう。

――西成で介護の事業もですけど、立ち呑み屋を開業されたじゃないですか。それはどういった目的ですか？

「僕自体がね、若い子がご飯食べれてなんとかやっていけたらいいかなと。あと、僕の名前を入れてますんで、ハシケンさんが、あっここでやっているんだなと分かってくればいいかなと」

ハシケンさんは西成の三角公園の前で「たまりば　けんちゃん」という名前の立ち呑み屋をやっている。筆者も何回も立ち寄っているが、いつも満席で客のほとんどは西成の住人だ。

ハシケンさんも、たまに店に顔を出すが、そこでのお客さんとの会話を聞いていると、ハシケンさんがいかに街の人間に慕われているかが分かる。

――若い子を食わせるというのは任侠道の世界ですね。そこは抜けないですか。

「まあ、ここが一応みんなの学校みたいなもんなんで。ここから独り立ちして自分でご飯食べれるようになっていくことができるようにすることも、僕らの役目だと思っています。それで立ち呑み屋を作ったんですわ。

元々は不動産なんですよ。このちょうど裏に〝クローバー〟いうのがあるんですけど、そこの会社を一番最初に立ち上げたんですよ。不動産やりながら介護もちょっとかじろうかっていうのがスタートなんですね。この店は、まあ他の者に任せてね。出資は僕ですが。ここの裏っていうかだいぶ先ですね。病院あるでしょ。あの3軒隣ですね。生活保護者、

ハシケンさんが経営する立ち呑み屋「たまりば けんちゃん」

年金で困った方々や生活弱者の方の部屋を紹介するということで」

「死ぬ前にちょっと良いことしたいなって」

これはハシケンさんの本心なのだろうか。意地の悪い質問をストレートにいくつかぶつけた。ここで取材が打ち切られてもいい、という覚悟である。

——ぶっちゃけ行政とやれば手堅いから始められたんですか？

「正直それもあるけど。でもね、部屋を段取りする障がい者が多くなってきたんで。この人らを助けたいなと。僕もヤクザやって良いこととしてきてなかったんで、死ぬ前にちょっと良いことしたいなって」

——その転機はなんだったんでしょうか？いきなりですか。例えば子供が生まれたとか。

「いえいえ、全然。ここの会社に、おじいちゃんとか精神を病んだ方とか、色々頼って来られたんでね。それならちょっとでも良いことしてあげたい、助けたいなと思ったんですね。最初は本当にお手伝いしていただけなんですが、そこの社長がハシケンさんなら自分でできるから、ということで融資をしていただいて、それでここを立ち上げたんですね、それがきっかけです」

——正直、私なんかは人を助けようという気持ちが生まれないので、ハシケンさんは弱きを助け強きをくじく任侠道の世界を実践してきたからなのかと思うのですが……。この介護事業やられて何年ですか？

「2年と4ヶ月ですね。不動産をやっている会社は4年やね。いや、今年の8月で5年ですね」

——なんでそんな良い人になっちゃったんですか？　過去取材した人はみんなこれから介護がおいしいと言っていた人は何人もいたのですが。

「国からこの事業者は何人でナンボっていうのが決められているんですよ。正直事業は赤字です。毎月赤字です。僕の財布から毎月50万出ています。始めた時は100万出ていました」

ハシケンさんの過去

――ヤクザは何年やられていたんですか？

「16からです」

――今おいくつですか？

「54です」

――16からやっていてカタギになることに抵抗はなかったんですか？

「いやもう、ヤクザやっている時、僕は一生この道で行こう、と決めていたんですね。破門されてうちのオヤジが、たまたま僕のソリの合わないところに行ったんですね。ヤクザとしてどうかな、と思う人の下でヤクザやれんでしょ。これは無理や、ということで自分の気持ちに蓋をしたんですね」

――懲役は2回ですか？　僕は今ライターしているんですけど、絶対いい人ではないんですよ。ハシケンさんはよくそういう心境になられましたね。

「元々からやね、自分で言うのもあれやけど極道背負っていても、自分より立場の弱い人間はいじめてきてないんですよ。全て助けてやる。大阪でハシケン言うて、ああハシケンさんね。あの人ね、と言うてくれる」

実際にハシケンさんの名前は売れていた。大阪でヤクザの看板を背負っていれば、その名前を聞いたことのない人はいないであろう。そのくらい現役当時は暴れていたのだ。

――ヤクザはカタギに好かれて同業に嫌われてナンボですもんね。

「僕はね、頼ってくるもんは面倒見てやると。それは仕方ない。よその道で飯食えるように頑張りやと。

でも嫌なもんは嫌やからね。親分に、おいハシケンこうやないか言われても、自分ができないもんは、どつかれても蹴られても、オヤジそれはできまへんと。そこを曲げてまでヤクザやろうとは思わんかったからね」

――最盛期には若い人間は何人くらいいたんですか？

「元々はね、山口組系の橋本興業と言う事務所だったんです。そん時15人いました。

先代が亡くなられて2代目になったんですが、その2代目とワシが合わんと。俺は俺で勝手にするぞと、破門するなりなんなり、どないでもせえ。言うて、若い衆連れて離れたんですよ。その時、今のオヤジがワシを養子縁組に。元々山口組系の若頭だったんですよ」

――平成25年にカタギになれば、暴力団排除条例にも触れないですもんね。

「今はまだ府警本部と掛け合っているんやけど、ちょっと待てと言われますね。会社の役員なんかはまだアカンと。僕んとこは介護事業やからね、僕が役員に入るとここを閉めなあかんことになるんで、いまは息子が代表者なんですよ。

ここの立ち呑み屋のお店も僕が大事にしていた若い子がやっています。売り上げの吸い上げは一切していません。ここの売上の何割かもってこいということはね。昔はしましたよ、ヤクザだからしゃあないでしょ。シノギかけたら〝お前、こうせい、こんだけ持って来い〟いうのはね。今はカタギになりましたんでね」

吸い上げとは、ヤクザ用語で〝カスリ〟ということである。儲けた金を運べ、という意味だ。それを一切していない、とハシケンさんは語る。

今はヤクザとは一線を引いている

――ヤクザの考え方が根付いていたわけじゃないですか。よく変わりましたね。

「これは僕の周りに今いて頂いている社長連中、オーナーさん、いろんな方がおられるんで。僕自体が変わらんと、そこのパイプがダメになってしまいますから。

いま、あいさつ程度のヤクザとの付き合いはいくつかさせてもらっていますが、それ以上の深い付き合いいうのはしていません」

――組織ではなく、人との付き合いですからいいと思うんですが、確かに府警本部から見ればあいつは密接交際じゃないかということは言われますよね。

「そういう場面にはもう出て行かれへんぞ、それは無理やぞ、ということは言ってます。それはどなたさんにもビシッと線引いているつもりです」

――それが出来ていれば問題はありませんよね。

「実際ヤクザで現役の方もいっぱいいますから。この裏にもありますからね。
ひとつ付き合いすれば、あっちもこっちも、となりますから。だからそこは丁重にすんまへんと。ここにいる人らは僕が現役やった時も知ってくれていますからね。あんま変なことで突っつかれることありませんし、いま介護事業もやっていますから、僕も変なことで出て行きませんから。あと人夫出しも、一応やっています」

――人夫出しはあいりんセンターの近くでですか？

「ちょっと違いますね。うちはセンターのとこに立たせてるんでなしに、僕の周りにはほんまいろんな人がいるんで、その中でこの子は仕事できるな、と思う人間だけを面接させてどっか連れてったれ、ということでやっています。
僕は1円も抜いてないし、紹介料も貰っていませんよ。後のトラブルも大変ですからね、紹介ですよ。余計なこととしてもしょうがないしね」

——ここの作業場の営業時間は何時ですか？

「朝の9時から3時まで」

——ハシケンさんは9時から来るんですか？

「いやもっと早いです、8時前には来てますよ」

——ヤクザやっている時とは昼夜逆転ですね。元々率先して自分がやるタイプですか。抗争の時にも自分で行くタイプですか？

「若いもんにあれやれ、これやれ、言うより自分で行くタイプですね。掛け合いみたいなもんは、思うようなもんが出てこなかったら自分で行って掛け合いした方がね」

——それはそうですよね。同じ10万でも、頭下げて貰うより自分で威張って取って来た方が価値ありますもんね。

ハシケンさんが語る、西成の〝いま〟

——ハシケンさんから見て、西成の街って変わりましたか？

「10代の頃から知っていますからね。暴動の時から入っていましたね。あの時はガキでしたけどね、石投げたりしに来ていましたよ、いまは大人しい静かな街です」

——今は福祉の街ですもんね。

「つい何年か前まではノミ屋もようやってましたからね。滅茶苦茶でしたよ、この街は」

ハシケンさんが会社の事業や立ち呑み屋をやっている三角公園の周りは、大阪府警の取締りが厳しくなるまでは、文字通り無法地帯であった。

偽造された一万円札などが最後に数百円で叩き売りをされていたのもこの街だ。

ノミ屋が立ち並ぶ通りもあり、そこに〝シキテン〟と呼ばれる見張りが数十メートル置きに立ち、怪しい人間を見掛けたら警戒する、というスタイルだった。筆者が通ると、見た目の怪しさと地元の人間でないのが分かるためなのか警戒をされていた。

——そうですよね。自分もノミ屋は何軒か知っているんですけど、潜入取材でしたが、そこの喫茶店もやっていましたしね。

「もう全部無くなりましたね。この先に1軒あると前に聞いたことあるんですけど、そっちはもう分かりませんね」

——喫茶店も個人で細々とノミ屋をやっているような所でしたもんね。今、シャブはどうですか？　売り子立ってないですね。

「いや、最近またね立っていますね。うちの会社のちょっと出たとこの街角に、そこの角に何人か立っていましたね。

もう開き直りですよ、彼らはパクられる覚悟で」

――昔は3ヶ月、半年サイクルで逮捕される気持ちで立っていたじゃないですか。

「今はもって1週間でしょうね」

覚醒剤の売り子は使い捨てである。意外に思うかもしれないが、彼らはすべてカタギの人間であり、組員ではない。それは逮捕された際に、組に迷惑をかけることがないように、カタギの人間を使うのだ。

――西成はさむい街だっていうのをみんな知っていても、みんなどんどん来てたじゃないですか。だけど本当にいまは危険だから客こないじゃないですか。どんどん職質されるし。

「彼らも覚悟してるんじゃないですか。うちの店にも売人はよく来ますけどね、鉄板ですよ。来るなら来んかいって」

――売り子だと初犯でも執行猶予つかないですよね。

「つかないね。一発で実刑です」

――売り子で2、3000万儲けていれば、まだ納得するでしょうけど。

「無理でしょうね、それにうちに来るのは売り子じゃなしに、親玉ね。僕の昔やっとたこと聞いとって、今は正反対のことしてるじゃないですか。なんでそんなこと出来るんですか、とよく言われますよ」

これはヤクザの計算である。

例えば、1000万円儲けたとして1年の懲役だったら、正直儲けものだ。1000万円を稼ぐのに1年掛けたと思えば、月収に直すと80万円強である。

ヤクザの計算方式はこんな感じである。

西成の〝ヤクザバブル〟

――「たまりば　けんちゃん」の開店祝いの花、凄かったですね。

「ご存知ですか。あの写真からもっと増えていましたからね」

――店に来るシャブ屋の親玉は連絡取れますか？

「やっぱり来ませんね。この人が立たせているのかは知りませんが」

一応、その覚醒剤の売り子の親玉に連絡を取ってもらったが、取材は当然のこと不可能であった。

――昔は太子の交差点を中心にいっぱい立っていましたよね？

「僕ももう20年前はようけ立たせていましたね。30分で50万くらい入ってきましたよね。チンチン電車のとこにあるたこ焼き屋。あの場所を仕切って30分で50個売れていましたよ」

チンチン電車とは浪速区から堺市まで走る阪堺電車のことだ。そこの線路脇に立たせていたということから、ハシケンさんの実力が分かる。太子の交差点に覚醒剤の売り子がいなくなってからは、線路脇の覚醒剤が一番売れた場所として知られている。

また、当然逮捕のリスクも高い場所でもあった。

——売り子に渡すのは、1000、2000円ですか？

開店祝いの花。ハシケンさんを慕う人間の多さがわかる。

「僕んとこは、電話で取る

客だけはこっちに流させて。覚醒剤の品物代は先に引いて、あと場所代を20万くらい取ってた。あとは全部やると。そのかわり品物はこっちが全部用意すると」

――あの時はここら辺の組織は全部シャブやっていたんですかね？

「僕は出が山口組系でも大きいとこやから、ここらを仕切っていたのはいま無いけど黒龍会ね。御大と話しに行って。うちは1人5000円。10人立たせても5万円を渡していました。その当時は力ありましたね。やっぱ全部あそこの場所は黒龍会が仕切って、縄張りを色々な組に貸していましたよ」

当時の黒龍会は武闘派としても有名であり、会長自体がイケイケとしてどこにも引かなかったことで知られている。ハシケンさんが語る御大とは、黒龍会の会長のことを指している。

――当時はヤクザバブルというか、西成一帯で事務所が100くらいあったんですかね。

「それくらいあったんやないですか？　武闘派で有名だけど解散した三島さんのとこがまだそこまで勢いなかったからね」

――今、三島組があったビルはないですよね？

「いま、うちの知り合いが買いました。ここの会社の土地も元三島ですよ。昔は三島の親分の車停める駐車場やったんで。その後に僕の知り合いの社長が買い取って、今は僕の会社に。カタギの土建屋の社長ですよ。ここも坪45万くらいじゃないですか」

少し前までは、三角公園の脇に大きなビルが建っていた。

そこに、同じく武闘派としてその名を知られていた山口組系の三島組が本部を構えていた。

増加する中国系の不動産

――今はコロナで減りましたけど、一時期外国人が増えたじゃないですか。あれは西成にとっては好ましいことですか？

「いやー観光客としては好ましい……。街が死なないからね、我々からしたら邪魔やけどね」

――介護はそうでしょうけど、立ち呑み屋としたら客として来るので邪魔じゃないですよね？

「うーん。まあ、僕らも不動産やっているんで。土地の値段を釣り上げようとしたからね。今はおとなしいけど、前この隣の土地も坪１００万円です。表通り出たら１５０～２００万で転売しとる」

――中国人ですか？

「そうやね。日本語がね、あまりできないから。あんま難しいこと言うてもわからない」

――空き店舗を中国系の不動産が買い取ってこの状況になっていますよね。

「この商店街は大方そうなんやない？　女の子がやっている店はほぼ盛龍不動産やね。僕も西成入った時はあっこの社長にごっつい世話になったんでね。今でもたまにコーヒーくらいは飲み行きますけどね」

――ここらの一部の居酒屋があんまり評判良くないじゃないですか。例えば生活保護の人間にツケで飲ませて回収しに行くとか、そう言う話も聞いているんで。

それが中国系なのかは知らないですけど。

「いまは、あんまりやってないと思うけどね。僕の知っている店だとね。あくどいことしてる店も中にはあるでしょう。盛龍は店の権利を売ってまうんですよ。だから店によって全部経営者は別。家賃は20万くらいとってるんかな。商店街のね。元々盛龍にいて一緒にやっとったやつが、別れてやっとることもあるしね。中国人で」

ここで話題となった盛龍不動産の話に興味を持ったので、盛龍不動産の林社長にアポを取り、後日取材の申し込みをした。

――昔の歌舞伎町と一緒ですか。華僑が土地を買って権利関係が複雑になって訳わかんない、というのと一緒ですよね？

「盛龍の林社長はチャイナタウン作ると言って頑張っているしね。西成の山王町とかここら一帯にかけて」

――盛龍不動産自体、東京の人間だとよくわからなかったんですよね。こちらへきて調べて初めてわかったんですけど。

「こっちではテレビに出て有名人ですよ、資金も中国から来てるんと違いますかね。向こうの金持ちはすごいですからね。それを転がしておくだけで金になるんでしょう」

もう西成からは離れない

――西成という街は面白いですか？

「僕はもうここから離れないね」

――それは何故ですか？

「いまね、さっきも話しましたが自分を頼ってくれている障がい者。僕が倒れるとこの人らどうなるんやろと。手はかかるけど、自分の子供みたいで楽しいですよ。

この前も1人パクられてしまいましたけど、僕のことをお父さんみたいに思ってくれてね。ちょっと知的障がいがあって、外ではやんちゃするけどここ来たらちゃんと作業してくれるし。その子たちを思うと離れられないですね」

——作業所は時給安いですよね。

「本来ここはお金出したらダメなんです。うちは他の企業さんと組んで仕事もらって、ここで作業させて、それで代金頂いて、その中から代金を分けてあげる。それは法的にOK。難しいですよ、抜くとこは無いですから。そやから、この商売で儲けているところは横、横、横にのばしているとこは儲けられるんです」

——本当に儲けるところがないんですね。

「僕が投資した会社があるんですけど、そこはごっつい事してますよ。西成の地ビール作っていますから。いま、商店街越えたとこで工事しているんですけど、そこがビール工場になりますわ。まだ社長は若くて40代ですね。元々ヘルパーで働いていたんですけど、そこが潰れてしまって。そしたらそこの利用者どうすんの、ってなった時にその人らを食わしてかなあかんという事思って自分で会社作ったんですけど苦労してますわ。そこに僕は協力して、この人らを伸ばしたいな、とは思ってます」

地方で町おこしなどの理由で地ビールを作る動きは流行っている。

この西成で地ビールが出来たのであれば、是非飲んでみたい。

——それは培った交渉力と人間の観察力ですか？

「要はね、僕んとこには人が自然と寄って来るからね、情報は入ってきます」

——「たまりば　けんちゃん」は儲かっているんですか？

「ここは多少の黒字ですよ。値段を下げて回転をよくする。それと儲ける気も無いしね。本当に若い子がご飯を食べられなくて、ここに来てご飯を食べて飲んで帰る。それでいいと思っています」

——ユーチューブにけっこう出ていますもんね。西成ツアーとか流行っていますし。

「まあメジャーな人はおらんけど、ちょこちょこ来ているみたいですよ。僕ももうここからあんまり出ないですから分からんけどね」

取材はハシケンさんが行っている作業所の一角で行われた。

当然、作業をする身体障がい者の人たちが出入りする。その人らにハシケンさんは必ず労いや優しい言葉を掛けるのを忘れない。その思いやりの心はどこから生まれたのであろうか。

ハシケンさんは男から見ても憧れる生き方をしている。若い頃は好き勝手に暴れ回って、それを自身で悟り生き方を変えた。このような人たちが西成の街を支えているのであろう。

現在はクリニックや福祉アパートの経営も加わり、炊き出しも欠かさないハシケンさんは、絶対にこれからの西成の街に欠かせない人間の1人であろう。

【第二章】

──医療・介護が抱える闇

悪事が横行する医療現場の実態

――元社会医療センター看護師　吉田さん（仮名）

国や大阪府、大阪市が中心となりホームレスや生活困窮者の病気などを治療している社会福祉法人大阪社会医療センター（以下、社会医療センター）。

歴史は古く、昭和45年から治療を開始という長い歴史を誇る。

医療水準は失礼な書き方をするが意外と高く、第三セクターが運営している大阪市立大学附属病院から医師が派遣されているために、社会医療センターでは処置できない重病者はすぐ近くの阿倍野にある大阪市立大学医学部附属病院に搬送されるなど、この地域に住む生活保護を受けている生活困窮者やホームレスは頼りにしているという。

社会医療センターは今も機能しているが、建物自体が老朽化のために取り壊される予定で建て替えをしている（※２０２３年現在は、近隣の小学校跡に移転）。それをきっかけに離職したという人間に話を聞くことができた。かつて社会医療センターに勤務していた元看護師の吉田さん（仮名）は、社会医療センターを含むあいりん地区の医療問題に対して大きな疑問を抱き、この地域の医療から離れた。

社会医療センターとは

――何に対して大きな疑問を持っているんですか？

「社会医療センターは4階に受付があって、簡単な診察はそこで行い、薬などもそこで渡すんやけど、それが大きな社会問題になっているのを勤務していた私たちは見逃していたんです」

と、吉田さんは今も悔やんでいるという。

この社会医療センターでは、病院に掛かる診察費のお金がない人なども受け入れるために、診察を求める患者が途絶えることはない。また、その医療設備の整っている社会医療センターの上の階には入院設備も備えているため、この地域に暮らす人々にとっては非常に助かっている存在であろう。

ここで、社会医療センターについて吉田さんの説明を加えて解説する。

あいりん総合センターの中にある社会医療センターは、3つの根本的な考えで成り立っていると吉田さんは話す。

「この地域はよそから逃げてきた人も多く、会社勤めをしていなくて社会保険や住民登録もせず国民健康保険に入っていない人が多いやないですか。そんな人からはお金を取らずに無料で診察を行って、ホンマに食費や生活費が無い人には、何の担保も取らずに信用だけでお金を貸していた時代もありました」

当然貸し付けは社会医療センターと患者との信頼関係で行われ、返せなくても以後の診察拒否や厳しい取り立ても行わない。これが1つ目の考え方だ。

2つ目に、医療の相談業務など、普段不規則な生活を送っていたあいりん地区の人間に対して生活の改善などの指導をしているという。

「この地域の人たちは、明日のことも考えずにお金が入ったらお酒を飲んだりする人がホンマに多くて、酒で命を落とす人がたくさんいました。そんな人たちに、親身になって生活の改善を地域の福祉士さんやボランティアなどの人たちと行っていました」

3つ目は、この地域の調査だ。

一時期、この地域の〝結核〟の感染率はアフリカで流行していた国よりも高かった。これらの病気などを研究し、あいりん地区の患者に注意喚起をすることで患者数が減ったのも、社会医療センターの努力の賜物だ。

「当然行政の協力がないとできませんが、私もマスクをしてあいりん地区にある三角公園や地域に歩いて入って、咳き込んでいる人がいたら社会医療センターに連れて行って検査を勧めて受けさせるなどホンマに努力しました」

しかし、吉田さんはこの社会医療センター勤務を経て、この地域でいくつもの問題点を見つけたという。それは自分だけが努力をしても決して解決できない問題であり、本人がこの地域の医療から離れる大きな理由のひとつとなったきっかけでもあったのだ。

横行する薬の横流し

――問題点とは一体何なのでしょうか？

「いくつもあったのですが、特に薬の横流しがかなりの数行われていたことが問題だと思います。今もその悪しき風習が残っているとちゃいますか」

と、吉田さんは語る。吉田さんが勤務していた時代にも、4階の社会医療センターで薬を処方したにもかかわらず、同じ建物内である〝あいりん総合センター〟内で売買している事例が多かったと話す。

主に売買されているのは睡眠薬や睡眠導入剤が中心だが、本当に身体を壊している人間が多いために、胃薬、肝臓などを中心とした内臓系、高血圧を下げる薬や湿布、ほかにも様々な薬が入っている栄養剤の点滴なども病棟内から持ち出されて建物内で売買されていたのを見たと話す。

しかもそれらは、あいりん総合センター内の2階など、仕事にあぶれた人たちが集まる場所で堂々と売買をされていた。

――その事実を医療側は知らなかったのか、それとも見て見ぬふりをしていたのでしょうか？

「私は本当に知りませんでした。特にショックで嫌だったのは、5、6階の病棟に入院している患者さんの食事なども売買されていた事実を知ったことです。本当に栄養を摂らなくてはいけない患者さんの治療が優先なのに、それを分かってくれないことがホンマに悲しかった」

その悪循環は、前述した通り今もこの地域で続いている。深夜1時ごろから行われる〝泥棒市〟では、人気の高い睡眠薬などが多く売られている。睡眠薬や向精神薬などのことは他の項で書き記すが、向精神薬は一部を除いては中々道端には売っていない薬のひとつだ。

――緊急時のための社会医療センターだから2、3日分を処方していれば、それらの売買は防げたのでは？

「まずお金のない人たちはセンターを頼るので、診察して薬を処方するしかありません。不眠などの患者さんはあまり来ないのですが、保険証を持っていたり生活保護を受けている患者さんは社会医療センターを頼らずに内科や精神科などのクリニックに通い、睡眠薬・睡眠導入剤や向精神薬を処方されています。その中に、法規制されているにも関わらずいくつものクリニックに通っている人がいるんです。どこのクリニックがたくさん薬を処方する甘いクリニックなのかという情報は、すべて仲間内で共有しています」

確かに一部の西成のクリニックでは待合室に無料のジュースの自動販売機などを置き、歩ける患者の送迎をするなどの過剰なサービスで患者の囲い込みをしているのは事実だ。また、患者が指定した人気の高い睡眠薬や睡眠導入剤などを言われるままに処方するクリニックも少なくない。

このような薬を求める人間に人気の高い睡眠導入剤は、1ヶ月以上待たないと処方されないという順番待ちまで存在している。

悪質な患者の囲い込み

——特定の睡眠導入剤や向精神薬に人気が集中しているのを、クリニック側は知っているのでしょうか？

「当然クリニックは知っていますが、それを止めることはしないで、診療報酬が高い向精神薬などをどんどん処方しています。医療機関の連携があれば、それらを多少は食い止めることも可能ですが、ここらの一部のクリニックは、自分の患者さんの囲い込みにしか興味はありません。よそに転院させる際に必ず必要な診療情報提供やそれらが書かれている医療カルテなども含めて、よほどのことがない限り情報は渡しません」

と語り、続けて

「当然生活保護受給者は、生活保護制度のひとつの医療保護で医療費は全額行政が負担するので、治療費はおろか処方される薬もタダです。それは本当に病気で悩んでいる人には必要な制度でしょうが、このようにいくつものクリニックに通い、不眠を訴えてそれらを過剰に処方されるのは問題やとは思います。当然今は法改正によって、薬価の安い後発医薬品のジェネリックなんやけどね。だけど、それにも抜け道があって、処方した医師が後発医薬品はダメという一文を入れれば、後発医薬品ではなく、正規の薬、つまり先発医薬品が処方されます」

と、吉田さんはその背景を説明する。

――先発医薬品の薬を処方されるメリットは？

「薬局は医者とグルになっていることも多いから、薬局も薬価の高い薬を売れるメリットもあるんとちゃいますか」

患者が後発医薬品ではなく、正規の薬である先発医薬品を求める意味は重大だ。これは前述したように、別の項で解説する。

――それは西成という地域性の問題ですか、それとも大阪や国全体の問題ですか？

「地域性の問題やと思います。そのようなクリニックだけでなくこの地域にある責任感のある病院は、患者の囲い込みや複数の医療機関に通い、同じ効果のある薬の処方を止めようなど、これらの問題から改善していこうと医師会などでも提案しました。だけどここらの医者は病床を持たないクリニックが多いために、そのような声は揉み消されてしまうのです。当然このようなクリニックがすべてとは言いませんが」

と、吉田さんは続ける。

患者の囲い込みは〝貧困ビジネス〟で大きな社会問題となった。退院できる患者を囲い込み、3ヶ月ごとに系列や関係している病院に転院させる方法だ。

これは、通称〝90日ルール〟と呼ばれる医療費の問題だ。90日を超える入院患者は特定患者に指定され診療報酬が低くなるなどの弊害があるため、系列している病院を持っている中小規模の病院は患者を転院させて、初めから高額の診療報酬を行政から取るのだ。

そのために、西成区をはじめ生活保護に甘い行政区を中心とした医療グループがいくつも形成されて一種の〝貧困ビジネス〟問題に繋がった。

簡潔に書けば、これらの長期にわたって入院する患者は行政が生活保護の中の1つの制度である医療保護を使っているために、支払いが不可能にならない、言うなれば〝おいしい患者〟さんであり、お得意様だ。

また、新たな疾患が発見される事態になれば、当然それは違う疾患として処理をされ、〝90日ルール〟は適用除外される。

加えて、患者には外泊などをさせて一旦外に出すことでカルテには退院と書き、それを行政に提出する抜け道なども横行している。それとは別に一般の医療保険では〝180日ルール〟などが問題となっていて、これは西成に限らず全国的な問題となっている。

「ホンマに行政は見て見ぬ振りです」

人が最後に流れ着く街と表現されることの多い、西成・あいりん地区。

ワケありの人間が多く流れ着くために、国民健康保険証はおろか身分証明書すら持っていない人間も数多く住んでいる。

――本来は国民が全員持っているはずの社会保険証や国民健康保険証などを持っていない人間が流れ着いたり、流れ着く途中に病やケガで倒れたらどうするのでしょうか。

「それらは法律上〝行旅人（こうりょにん）〟と呼ばれます。その人間が救急搬送されると、倒れた場所の自治体が面倒を見ることになっています。それらは〝行旅病人〟と呼ばれ、自治体から手厚い保護をしてもらえます。

手厚いと言っても最低保証の医療なんやけど、そこは医師の医療に掛けるモチベーションによって変わります。高水準で普通の患者さんと同じ診察などをされる自治体などもありますが、大阪の場合、引き受ける病院はホンマに限られます」

と、吉田さんは語る。それらの病院は西成区にも多くあるが、それだけでは経営がうまく回らないために、近隣の区にも点在していると話す。

――西成だけでは一定数の患者を持っていても回らないのでしょうか。

「回りません。西成の地域にある病院は一部を除いて、不正を見て見ぬ振りをしています。JR大阪環状線の某駅前にある病院は野戦病院と言われています。4人部屋にベッドを詰め込んで10人部屋にしたり、8人部屋に20人押し込んだり。ホンマに行政は見て見ぬ振りです。なんせ行政側からしたらどんな病人でも引き取ってくれる病院ですから潰したくはないんです」

と、吉田さんは行政の怠慢を訴える。確かに、この地域だけの患者だけでは医療は回らないであろう。あいりん地区の人口は最盛期には3万人と言われたが、今はその数は半減している。全員が医療の世話になるわけではなく、その数は減る一方なので周囲に広がるのは自然の法則ともいえるであろう。

吉田さんが話すその病院は当然役所などと連携をしており、生活保護を受けている人間なども積極的に引き受けているという。患者の中には生活保護法などでも禁止されている借金をしている人間も多く入院しているために、生活保護費の支給日が振込の人間は月末に、手渡しの人間は月初めには取り立てが病院に来る風景も見慣れた光景だという。

その病院は、行旅病人なども当然積極的に引き受ける。中には行政の力でも身元が分からずに、ベッド脇の名札に〝名無し〟と書いてあることも多いという。

彼らが亡くなったら、当然無縁仏になり、〝行旅死亡人〟と呼称が変わり、それらに関わる費用、例えば火葬なども全て行旅病人が保護された自治体が面倒を見ることになる。その費用も当然税金で賄われているため、真面目に税金を納めている人間からすればやるせない問題であろう。

吉田さんは今、社会医療センターを離れているが、色々な情報が入る立場にいる。

つまり前述している通り、医療の世界からは離れていないのだ。

あいりん地区のことについては、仲間の看護師をはじめ誰しもが口をつぐむという。そのくらいこの地域の医療問題はタブーになっているのだ。

実際に筆者はいくつかの病院やクリニックに取材の協力をお願いした。電話で取材の許可は下りたのだが、実際に現地に足を運ぶと取材拒否や担当外の人間などが現れて、話をうやむやにされて取材にはならなかったことを最後に付け加えておく。

クスリ売りが語る「泥棒市」のリアル

――路上のクスリ売り　伊藤さん（仮名）

ひと昔前は南海線の高架下で大々的に行われていた〝泥棒市〟。

いまは規模が小さくなり、平日は数店舗しか出ていない泥棒市でその男と出会った。〝薬局〟と呼ばれるクスリ売りの男に路上で接触し、インタビューの約束をその場で取り付けて、筆者が泊まるホテルのロビーが新型コロナウイルスの影響で人が少なく機密性が高いので、その場所を選び、取材を快諾してくれた伊藤さん（40代・仮名）に足を運んでもらった。

「どうせ罰金ですむから。こういう感覚ですわ」

――伊藤さんということでいいですか?

「名刺いただけますか。あ、東京の方ですか」

――伊藤さんが仕入れているんじゃなくて、普通の方の仕入れ先はどこなんですか。みんな生活保護受給者ですか?

「この街はね、生活保護の受給者が多いですわ。昔インターネットで、大型匿名掲示板にのってますんで、そこにずばっと書いていますわ。クスリの仕入れ方法など。そこにここの人は生活保護受給者を食い物にしているとか書いてますわ。正直いうてそこから仕入れたものだとかね」

そこに書かれていたのは、今では常識になっているが、不特定の生活保護受給者から睡眠薬や睡眠導入剤などを安く買い叩いている仕入先、つまりクリニックだ。

――だいたいワンシートいくらくらいですか？

「その時は、インターネットの時代でしたからね。掲示板で売買。俺も元はその中の1人ですわ。前はエリミン、リタリンの時代でした。リタリンはものすごい売買して売り上げていましたね」

ワンシートとは10錠のことである。

エリミンは使用方法によっては酩酊感を得ることができる睡眠薬であり、リタリンは覚醒剤に似た効果が得られると言われている神経系の薬だ。これらは一部の病院でしか処方されないため中々市中には出回らず、出回ったとしても高値で売買されている〝闇のクスリ〟だ。

実際に入手するのは処方箋のなかでは一番難しい種類ではないだろうか。

――色々なクリニックに行き売り物になるクスリをもらって、ワンシートいくら、で売っているんですよね？

「僕はキチンと処方されているんですよ、病気とか事故とかで。だけどもう飲まないから。処方してもらっても、もう飲む時と飲まない時の差がある。だから譲っている感じですね」

綺麗ごとを言っているが、実際に伊藤さんも泥棒市で睡眠薬などを売っているひとりには違いはない。

──あそこで伊藤さんみたいにクスリを売っているのって何人くらいいます？

「ピンからキリでしょうけど、だいたい10人とか？」

──そんなにいるんですか。〝眠剤ある？　眠剤ある？〟って客は言っていますよね。

「立ちんぼって言われますよね。立ちんぼしてる人は一緒にDVDとか売ってるね。暗黙の了解でやっていますよね」

──摘発されても罪が軽いから、すぐ出てきますよね。

「そうですね」

──だからまたすぐ立ちますよね。

「それはホンマのことですね。どうせ罰金ですむから。こういう感覚ですわ」

──向精神薬を使っていると、〝麻薬及び向精神薬取締法〟もついちゃうじゃないですか。それがつくと危ないですよね。だから導入剤とか眠剤は持っていても、向精神薬にはいきませんよね？

「危ないですね。買い手が怪しいと持ってないと言いますよね。ユーチューブの人間も最近来ますしね。

私は利益を目的としてないんで。僕は仕事もしていますからね。ゆうたら買い手はわかっているからね。売り手も悪いけど、買い手も悪いことしているって分かって買っているからね。処方されてないんだから。買い手側が一番悪いんだから。クリニック行ったらいいやんか、こうなるんですね」

かつて睡眠薬と向精神薬とでは法律上の扱いが変わった（※現在は法が改正）。それを知らない素人の立ちんぼが一緒に並べて売っていることも多いが、慣れている立ちんぼは向精神薬は奥に隠しているのが常識となっている。

末端への売り値は数百円も変わらないが、日本での刑罰の取り扱いが変わるので、手慣れた人間は奥に隠しているのだ。

――確かにクリニックに行けば処方してくれるのに、なぜ泥棒市に来るんですか？　眠れないといえば、弱い薬からくれるじゃないですか。

「医者はクスリの量を調整しますからね。買い手側は医者に行って長い時間待たされるじゃないですか。それが嫌なんですよ」

――クリニック行けば保険適用だし安く買えるじゃないですか。なぜなんでしょう？

「そこはね、僕も謎のままなんですよ。自分がもらえない、処方してくれない、出禁になって行く所がない、医療費が高い。保険料の点数が高い。一番の理由は保険料を未納している人間が多いんでしょう。

そういう理由があって、一部の人が買い占めているんじゃないでしょうか。あと最近はインターネットの売人が多い。インターネットで売られているのは本当ですわ」

実際にSNSで売られている睡眠薬や向精神薬などは、主に泥棒市でまとめて買う人間から出ているケースが多いであろう。

泥棒市で儲かる仕組み

――西成の表側ではなく仕組みとか裏側を聞きたいんです。1日に客はどれくらい来るんですか?

「ピンキリです。ほかのとこわかりませんけど、平日の売り上げが1万数千円くらい。あそこは土日祝日がメインですから土日なら1日平均7万円くらい」

平日の泥棒市は夜中の1時ごろから警察が巡回しはじめる7時ごろまでなのだが、それが土日になると一変する。

昔のように南海電鉄の高架下まで露店が並んでいる状態になるのだ。
また、一日で観光客が多いとわかるのも特徴だ。
しかし、怪しいクスリや裏ＤＶＤを売る店は、土日であっても明るい時間になるともう撤退している。

休日の泥棒市には、多くの人が集まる。

――じゃあ、おいしいですね。元値ワンシート数百円ですもんね。

「ハルシオンなんか元値平均４００～５００円。マイスリーの買い取りが１０００円から。いま売られている値段が、ワンシート２５００円。ハルシオンの売値は１０００円。サイレースが１５００円。デパスが１８００円くらいですね。

この街というのはクスリだけじゃないんで。海賊版もあるんで。ＤＶＤが多いね。クスリよりＤＶＤとかパチモンのブランド品とかね」

――動画はネットからダウンロードですか？

「いやちがうんです。みんな大阪にある日本橋の雑居ビルで買ってきて。それをコピー。本当は通報しなきゃいけないんですが、これが無くならないです」

――みんな勘違いしているんですが、基本的に通報義務って無いんですよ。児童の虐待など以外は、見て見ぬ振りでいいんです。私人逮捕というのはありますけど。

「俺は関係ないから、って言っています。ＤＶＤは1枚２００円で売られていますね。この前パクられた人は罰金50万きたみたいです。それでも無くならない。

僕の出身は九州なんです。西成は日本を回ってやろうという思いの中での中継地点です。泥棒市の露天商はね、〝オレは命懸けてやっとるから〟とみんな言っています。露天商はね、いうたら俺が知っている限りはみんな生活保護なんですよ。9割は生活保護、不正受給者ですよ、ハッキリ言って。

収入あげたら申告しますよね、しませんから。大阪ではみんな生活保護。ボートして酒のんでパチンコ、みんなそれだけしても金が欲しい。だからやる。だから生活保護だから病院でタダで仕入れてくる。それを売るわけですよ。僕は違いますよ、精神障がい者の年金受給者なんで。ほんとはアカン」

法規制では生活保護の受給者の収入認定は月間1万5000円まで認められている。それ以上の収入は生活扶助費から収入として引かれる形になるが、当然収入があった場合は申告をしなくてはならない。

伊藤さんのポリシー

「西成で頑張っている人に取材をする」という本書のテーマにぴったり合っているというのが、今回伊藤さんを取り上げようと思った大きな理由だ。

伊藤さんは精神を含めた軽い疾患を抱えている。それをものともせずに西成でたくましく生きているのだ。

本来は法に触れる行為を行っているので取り上げるテーマではない。だが、伊藤さんは役所から支給される年金などの一部をフードバンクなどに寄付をして、自分は西成区の端っこで大人しく質素な生活をしているという。

「私はね、5年前に交通事故しましてね。相手とまだ裁判中なんですけど、正直言ってあそこで儲けようと思ってないです。どれくらい売り上げているのかもよく分からない。財布に小銭が入っとるやなあって。全然わからないです。今日も盗品されたからね。いいや、くれてやるって」

——離れた隙にですか？

「そう、ちょっと離れた間に。持って行くやつがいるんで」

泥棒市で商売をしている人間から泥棒をする案件が発生しているという話も、数人から聞いた。みんな口を揃えて〝泥棒市やからしゃあない〟というスタンスで、あまり気にも留めていない。

——仲間内は泥棒行為を見て「おい盗まれたぞ」って言ってくれないんですか？

「いいんですよ、僕は。逆に勝手に持って行けってなもんです。

そこまで困ってないんで、いつ引退してもいいと思っているんで。

やっている他の人間とちがうんで。一時はメンタルやられて交通事故もおこして生活保護でしたけど、今は乗り越えたんで」

——普通はずるずる生活保護でいきますけどね。

「そのとき介護保険のほうにいこうと思いましたからね。事故とかそのようなことがきっかけで、いまはヘルパーさんを利用している。

いろんな人が聞いてくるんですよ。〝伊藤さん売れているか〟と。だけど関係ない、って言っているんですよ。その人は泥棒市で洋服を売っている洋服屋ですけどね。まあジュース代にでもなりゃいいか、って。金欲しさにやってくる人間も多いですよ、大阪は。ああこいつらってダメだなって思いましたもんね」

――そういう街ですもんね。

「1円を粗末にするやつはこの場で人間辞めろ、と教わっているんです。1円を1億人から集めたら1億円やろ、と。そうやって恩師から教わっています。これっぽちも儲けは考えてません。あそこはよそ者の悪口ばっかり言っているから」

――では伊藤さんはあそこで浮いてる存在なんですか？

「うん、例えばお客さんの悪口とかね。あいつは怪しいとかね。ネットワークですからね。あの格好してるやつが怪しいとかね」

――生活保護は法に則って人間が平等に暮らせるように、との国の政策で生活保護法ができて、決して怠け者とは自分は思っていないんですけどね。

「ただ露天とかでやると厳密には道路交通法違反になるんだよね。出しちゃいけない場所なんだよね。

だけど西成は特殊なとこですからね。東京の山谷（さんや）ってどうなんですか？　西成みたいな街で泥棒市などもやってるのですか？」

――規模は5分の1ですね。もう泥棒市はやっていません。生活保護受給者は西成ほど多くないです。横浜の寿町（ことぶきちょう）のほうが割合では受給者は多く感じますね。

山谷はドヤが集中しているわけでもなく、住宅地を挟んで点在しているので西成に慣れていると住みにくいと思います。

「そうですか。大阪の市政がおかしいと思うんですよ。なんでも生活保護を通しちゃうという。能力に応じて働きなさいとなっているし義務があるじゃないですか。

1円でももらったら申告してください、と。酒もらったりメシもらったり、あれも全部申告いるんですよ。

それだけじゃないんです。西成は日雇いの街じゃないですか。労働者の。ああいう人達全部が全部ちゃんとした人じゃないですからね。不正受給者が名前変えていたりする。それでたまに逮捕されるんですね。過去はものすごく多かった。すれば詐欺ですよね、当然。

僕らも道路交通法でやられますけどね、一番悪いのは生活保護もらいながらやっている人。詐欺だからね。立ちんぼやっている人の多くが生活保護だけど、たまにはまっとうな人もいる。肉体労働者とかね。

一生懸命がんばっている人は格好がちがう。僕は誰がどうと全部知っているんで。正直生活保護の露天商は表にあまり商品を出さないんですよ。常連がいるからそれとだけ繋がっていればいい」

さらに明らかになる泥棒市の裏側

——最近シャブの売人は少ないですか？

「少ししかいませんね。警察も巡回していますし。聞いてくる人はいますよ。シャブないですかって。僕らも扱ってないしね。扱う人もいないしね、泥棒市のとこでは。すぐ刑務所行きなんでね。

ただ僕がここにきて20年で変わったのは、露天が無くなったね。昔はアーケードのとこまでズラッといたじゃないですか。綺麗にね。あの時代は栄えていましたよね。

でもね、僕もいつ足洗ってもいいんですよ。西成の人間はね、ごちゃごちゃ言うて面倒な人間も多いからね。こども連れてるお母さんも母子家庭やしね、ごちゃごちゃ言うとるんはポン中ですよハッキリ言って。関係ないですよ、僕はね。なんで警察がちゃんと手入れしないかわかりますか？」

——何でですか？

「暴動です」

この〝暴動〟という言葉は取材中に何人の口から出た事だろうか。「締め付ける」と「暴動を起こす」というのはもはやシャレではなく、本当に起こり得るモノと思い込んでしまう。彼らもこのように何人もの口から同じ言葉を聞いて、その〝暴動〟という言葉が頭にこびりついてしまったのではないだろうか。

若い労働者がたくさん住んでいた時代には、暴動も考えられたであろう。しかし、今の西成は福祉と介護の街である。

もし暴動が起こるのであれば、暴動を引き起こす人間は外部の人間が中心となって行われるであろう。

――西成は住みやすいですか？

「炊き出しやってみんなゴハン食べれるようになっていますね。他の地域は週に何回かですけどここは朝夕の毎日ですから。シェルターに泊まらせてくれたりね。宿泊券は市役所に行かないといけないんですけどね。5月からコロナで変わったんですけどね。大阪は医療費がなくても貸してくれるんですよ。あいりんセンターの病院ですけどね」

――センターの上でクスリ処方されても、下でさばいちゃうから嫌だとか言っている人がいましたけどね。伊藤さんは、あそこらの街角に立っていましたか？　結構あそこに立っている人は顔を覚えているんですけど。

「毎日ではないんやないかな、いや途切れ途切れやったと思う」

――そうですよね、見たことないですもんね。

「オレは使われている立場じゃないんで、好きなときにやっていますよ。今日は立ちませんよ、ゴチャゴチャされるのもあれなんで。今日はお客さんとして見に行きます。僕がほしいものだけ見ますよ、服とかDVDとか。オレも買いたいほうなんで。だから行ってたんですよ。あんなもん持ってかれてもいいんです。趣味で提供していただけだから、だけどタダってわけにもいかないですからね」

路上生活者を支援する「あいりんシェルター」

――いまは、約束した売り物の商品は手元にないんですか。

「今はクスリもってないんです。家にありますよ。いらないからって健常者の人が持って来たんで、今すぐに取りに行きますよ。やばいとこはモザイクかけといてください」

――泥棒市のショバ代（出店料）は今いらないんですか？

「昔はありました。1日1000円。場所代は1000円でした。それはヤクザの人が。無くなりましたが、山口組系列ですね。無くなったとこがみかじめで取ってたとこです。今はないです」

――ユーチューバーに〝オイコラ！〟って怒鳴る人いるじゃないですか。あれは誰なんですか？　シキテンというか、見張りがいるじゃないですか。

「僕はまったく分からないですね。だけど売っている人の友達とかそんな関係の人やと思いますよ。泥棒市で売っている人たちの結束は一部固いモノがありますから」

――ショバ代を払っていなければ守ってくれる人はいませんもんね。

「お金を払ってないのは事実なんですよ。縄張りがないんで。どこでやってもいい代わりにお金を払わなくていいんです。一時期露天がなくなった時もあったし。ショバ代を取ったらかつあげになりますよ、いまはファミリーというか仲良くやっているんで。喧嘩はたまにありますが、そうするとすぐ警察が介入してきちゃうんで。昨日もトラブルあって警

韓国から持ち込まれた、「スカイブルー」と呼ばれるタバコ

察が駆けつけに来ました。でもなかなか無くならない、無くせば暴動がおきる。それが西成の泥棒市の現状ですわ」

話を聞かせてくれた伊藤さんは家に帰り、売っているクスリや裏ＤＶＤなどを持って来てくれた。写真を撮ることに同意してもらった上で、商品を全て出してくれた。当然中身は普段泥棒市で見られるモノであり、目新しいモノは何もないが、隠し撮り以外で見られるのは貴重な場面だ。

また、泥棒市でも普段は見掛けることの少ない、韓国から入って来た日本製のタバコを売っている場所を教えてくれた。

通称〝スカイブルー〟と呼ばれる、中身はマイルドセブンと同等のタバコだ。それを売っている場所は泥棒市の場所から少し離れたマンションの一室である。免税品のタバコがまとめて部屋の一室に積まれていた。値段は1カートン10個入って3800円である。当然税金が掛かっていない分安いのだ。

しかし、実際は手数料が乗っかっているために、もっと安く入手できるのであろう。1人1カートンまで無税で持ち込みが可能で、夫婦やグループだったらその人数分持ち込みが可能なのだ。きっと、それらの人間に頼み安く購入して密売をしているのであろう。

ひと昔前の韓国でタバコが安かった時代には多く見掛けたが、今の韓国はタバコが高いので密輸するメリットは少ない。そのメリットは免税店から買うタバコしかないのだ。


西成の泥棒市で露店をたまに出している伊藤さん。彼の姿を泥棒市で見かけることは少ない。先日偶然に会ったのだが、今は処方されたクスリを売らずに普通に飲みながらバイト生活を送っている。当然フードバンクへの寄付は毎月行っているという。

先のことを考えて生活する人間が少ない西成のこの一角で、伊藤さんは自分の生き方を見つめて地盤を築こうとしっかり頑張っていた。

「介護」の本来の姿を取り戻したい

――あさひ在宅サービスセンター代表　山本麗子さん

この項で取り上げるのは、西成区旭という街の一角で介護サービスを提供する〝株式会社あさひ在宅サービスセンター〟の代表取締役を務めている山本麗子さんだ。

山本さんは、介護会社の経営者という視点から西成の街を守り見つめ続けている。

過剰で質の低いサービスが多すぎる

——西成はどのような街ですか？

「西成って現状考えたら、過剰のサービスが多いですね。本人にとったらプラスになる面は無いんですよ、自立の妨げになるので。税金から賄われているから、個人的には税金の無駄遣いだと思っているんです。

あとサービスの質がちょっと本当に低い。毎日ヘルパーさん入っていても、部屋に蜘蛛の巣が張っていたりするんですよ。行政が求めるのは紙1枚でしかないんですよ」

山本さんは、日本のお役所主義的な報告書は事実とは程遠いと語る。

——報告書みたいなものですね。

「そうそう。でも、やっている人が嘘ついていていても大阪市は検証しないでしょ。現場を見に行って欲しいと言っても、やってくれないから。真面目にやっている事業者は耐えられないです。

西成っていうのは月末になったら、みんなお酒飲んでお金なくなった人多かった。パチンコに行ったり。なんでそんな人に介護が必要なの、って」

実際に、西成では介護の現場を数多く見掛ける。それは介護をする側も、受けている側も両方だ。

――車いすに乗ってパチンコに行ったり、自分で動ける人は遊べますからね。

「ヘルパーさんや訪問介護事業者をお手伝いさんみたいな感覚で捉えられるのに、すごく納得いかないですよ。プロっていう意識が必要だけど、西成のレベルは低いですね」

確かに筆者も西成の街を歩くと、車いすに乗ってパチンコ屋に入って行ったり、立ち呑み屋にいる人を目にする機会は多い。

――しかし、それだけ需要はあるということですか？

「ええ、そうですね。需要があるから、それだけ訪問介護などの事業所ができたんじゃないですか。今120から130はあるんじゃないでしょうか」

大阪市の資料によると、2016年の時点で大阪市西成区の65歳以上の人口は4万1323人で、人口から割る高齢化率は37・9パーセントであり、その数字は

2025年には40・4パーセントと予想されている。

——それは多いのでしょうか？

「ここ数年で増えた？　うーん、新しくできたところもあれば閉めたところもあります」

——それは評判が悪いから閉めたんですか？

「違います。そうではなく、西成区は自分でお客さん何人かできたら、すぐ自分で独立する。でも年寄りは亡くなったり、病気になったら入院するでしょ。それでお客さんがいなくなったら、維持できなくて閉めるんです」

介護事業は〝人〟に付くのであろう。お客さんはご高齢の方が多いので、ネットのレビューなどではなく、行政や人の紹介から来るケースが多いはずだ。

「自立」の手助けをするのが、本来の介護の姿

——何人くらいお客さんがいれば独立するんですか？

「それはわからない。人によって。ヘルパーさんはお客さんを取り込んでいるところがあるから」

——知り合いが以前訪問介護を受けていて、その人が言うには〝ここがええんや〟と。

なぜかというと、過剰なサービスがすごいと。例えば〝違法なモノを買ってきてくれる〟とかあると言っていました。

「今はないですね。一番ひどいのは、昼間お酒飲ませて夜は自分の関連の居酒屋に連れていく。山王、飛田のとこ。そのような過剰なところはある」

介護サービスを受けているのは女性もいるが、当然男性もいる。この地域の独身男性は大阪だけでなく、日本全体を見回してもほかの地域より断然多い。

――女性的な魅力で、夜飲み行こうと誘うとか？

「実際ありますよ。私のところは当然していないけど、聞いたことは何度もあります」

――間違っていますよね。手伝いの補助なわけだから。

「そうです。自立をさせなければいけないので。その人ができないことをするんじゃなくて、最終的にはできるように変えていかなければいけない。

例えば、洗濯できない人にさせられるようにしてあげる。洗濯できなくても、米洗うことはできるだとか、そうやって考えていかなければならない。それが、介護保険法の趣旨なんですよ」

当然、介護事業は法に則って行われる。介護保険法に書いてあればそれを遵守するのは当然のことで、介護の意味も〝身体や精神が健全でない状態にある人の行為を助ける世話〟

という意味合いである。

――歩けないような人を歩けるよう手助けをする、というようなことですよね。

「そうです。歩けないならトイレ行けないでしょ、だったら目標としてどうやってトイレに行けるようにするか。例えば布団で立ち上がれないならベッドにするとか。手すり付けるとか。

失敗してもいいから、時間かけて1人でトイレに行けるようにしてあげる。それが本来の介護保険の趣旨なんですよ」

山本さんが思い描く〝夢〟

山本さんの語る介護の趣旨に、筆者の今まで描いていた介護のイメージが180度変わる。

――自分のイメージしていた介護と違いますね。西成の介護のイメージって、10年以上前ですかね、介護受けていた人なんですけど、〝これから介護やった方がいいよ。どんどん客が増えていくから。金も取り放題だし〟そんなこと言っていたんですよね、そのイメージが抜けないです。

山本さんがオープンさせたコインランドリー。清潔感のある内装だ。

「確かに、そういうこと考えている人は多いですよ。儲けなきゃやっていけないところもあるし。うちの社員は30人いて、その人たちの生活を守らなければいけないから儲けないといけない。

でも儲けというかお金の使い方はそれだけじゃなくて、例えば夢。お金があれば夢叶えられるでしょう。

だから私、今年、高齢者用の建物つくって。18部屋あって、各10畳。多分西成で一番広いんじゃないかな。1階は大型のコインランドリー。そのランドリーの収益は来年から西成の生活保護の子どもと、ひとり親の進学支援にしようと思っているんです」

山本さんは自身の夢を実現させ、自社の近くにそれらをオープンさせた。

――高いじゃないですか、ランドリーの設備とか。昔は儲かると言われていましたが、いまはそうでもないですもんね。それをやられたんですね。

「近くにランドリーあるんですけど、小型と混ざっているから、西成のおっちゃんたちとかどんな人が使っているかわからないからね。それを普通の家庭の方は嫌がる人もいるでしょ。最近ここら辺も一戸建てが増えてね、物価が安いから郊外から引っ越してくる世帯があるんですよ。そういう人が大型のランドリーで布団とか洗うとき、どこで洗うんだって。そこに目をつけて。広告も出してないけど、清潔にしているからリピーターもいますよ。

西成のこれまでのランドリーって、男性目線のものばかりですもんね。灰皿あったり、えっと思う人が多かったり」

山本さんが経営している〝あさひ在宅サービスセンター〟という会社は、あいりん地区から少し離れた同じ西成区の鶴見橋商店街の裏手に位置する。その商店街は下町の香りを残した古き良き商店街で、休日には家族連れなども歩く。

――狙っている客層は違いますよね？

「ファミリー目線がコンセプトですね。宣伝してないけど、だんだんお客さん増えればいいなと思っています」

実際に都内でも女性目線でやっているコインランドリーなどがブームとなり、メディアなどにも取り上げられることが多い。

それを山本さんは西成の地でやっているのだ。

介護士たちの給料事情

――求人募集など見ると、介護をされている方たちの給料って安いじゃないですか。なぜですか？　こんなに大変なことしているのに。

「元々1人当たりの単価は決まっているんです。厚生労働省から、生活援助になったら〝30分は何円〟とか決まっているんです。

東京とか物価が高いところは考慮されていますが、本来は全部決まっているんですね。そこから光熱費だとか家賃だとか色々差引いていくと、人件費はそれしか残らないんですよ。介護職員の処遇改善をしているんですね。

事業所はそれを申請したら、ちゃんと人件費に回さないといけない決まりになっているんです。でも、給与明細の提出まで求めてないから事業所によっては不透明なところもありますね。

うちはそんなに悪くないですよ。法令遵守すれば、キチンと給与は渡せられます。だから辞める人は少ないですね。

給与問題は経営者の資質です。自分の取り分を先にとるか、職員の給料をちゃんと確保するか、の違いかな」

――簡単に言えば〝ひとりで幸せになるか、みんなで幸せになるか〟の違いですね。

「そうそう。職員の生活がちゃんと守られなければ、老人に優しく接することできないよ。心の余裕は持っていかないと利用者さんと向き合うことはできないはずです」

――自分の生活がギリギリで心がギスギスしていたら、そうなりますよね。

「そうよ。明日の生活とか心配していたら、どんなに優しい人でも、たまにはイライラすることもあるじゃない。心の安定は大事ですよ。他人のことどうでもよくなっちゃうから」

山本さん流のターミナルケア

――ヘルパー歴は長いんですか？

「12年くらいですね。この介護の仕事は27年」

――あさひを立ち上げて何年ですか？

「8年目かな」

筆者の性格上、話を下衆（げす）な方向に持っていってしまう。

――大きさは何倍になりました？

「うちはよそと違って医療中心なんです。医療機関と連携をしっかりしている。特にターミナルケア。認知症、床ずれ、の人を積極的に受け入れている。

あとうちの特色はね、色々な介護や医療関係などの資格を5人とっているのね。正社員は全員取れるようにしようと。高齢者の施設を作ったのは末期ガンの人のために、最期の場所になるように考えたからです。

いま、畳の上で死ぬって貴重でしょ？　だからお酒飲んでもいい、タバコ吸ってもいい、最後に自由になれるようにどうぞ、って」

ターミナルケアとは、ひとことで書けば〝終末期医療〟のことだ。人が突然死などをしない場合、病死などの場合は、当然誰しもがターミナルケアの世話になる。

――だいたい管理されますもんね。

「もう死ぬ前なんだから、いーやんかって。一口お酒飲んだりするのもさ許そうよ、って。去年かな？　在宅の人で亡くなる最後2、3時間前かな。タバコ吸っていて。多分これ最期かなって思っていたんだけど、やはりそうでしたね。

まだ体温かくてね。すぐ先生に連絡したけど、よかったなあって。死ぬまえに看護師さんやヘルパーさんに見守られながら、タバコも吸えてアイスクリームも食べられて。いい顔でしたよ」

——あれやりたい、これやりたい、って思いながら死んだら未練は残りますもんね。

「明日の命があるか無いかわからない人に、お酒やタバコ我慢させたって、何時間長く生きていられるんですか？

そこは本人の希望に沿いたいっていうのが、基本的な考えですね。私個人のね。だから最初は銀行でお金を貸してくれなかった。死にそうな人に部屋貸せないでしょ、って。でもそれはあなたたちの考えだからね。でも結局最後は銀行からやらせてくれないかって、頭を下げてきました」

——山本さんは優しい考えですね。

「そうですか。自分だったらどうですか？」

——タバコは吸いたいですね。

「最期病院で死にたくない。施設にも入りたくない。それでも自宅で死ぬって難しいでしょ。西成って住環境は多いけど正直ガンの人って、最期いい環境で死ねるって少ないでしょ。だからここ作ったんです」

山本さんは西成で末期を迎えた人を多く見ている。

それらの経験から学び、色々なことを実現させている。

初めての日本にがっかりした経験

——西成はいい病院も少ないですもんね。

「設備の問題じゃなくて、根本的な人に対する扱い方でしょうね。レベルが低すぎる。私は台湾出身ですけど、医療機器など医療レベルは高いけどサービスは先進国の中でも日本はダメですね。特に精神科。とにかく薬出せばいい。精神安定剤や眠剤。それは違うやろって思っています。

この人を廃人にさせるの、って。国や社会がそうさせるの。税金で病院は儲かるかもしれないけど。その考え方違うんじゃないかな、って思う。保険制度はちゃんとしているけど、考え方をもっとしっかりしないと」

——最後のセーフティネットが間違った方向に進んでいますか。

「最初日本来た時、憧れていて。素晴らしい国に行くんやな、と思っていたんだけど、最初西成で働いたときすごくショックを受けた。

西成のお年寄りはね、昔〝社会的入院〟っていうのがあったんですよ。家のない人とか生活できない人が、病院を施設のように利用しているケースがたくさんありました。私はその患者さんたちに日本語教えてもらったりとかしていました。

ガンってすごく痛いんですよ。でも先生たちに痛がっていますと言っても、〝ええねんええねん、その人たちは税金で生きている人だから多少痛がってもええねん〟って言って、当時流行っていた〝たまごっち〟しているんですよ」

筆者も似たような話を聞いたことがある。

ある病院で、もう退院できる人間が病院側に退院を願い出たのだが、その人は退院を反対され、〝もう少し入院すれば部屋を借りられるようにしてあげるから。あんた家無いだろ〟と言われたというのだ。

――それは酷い話ですね。

「めちゃ悲しかったんや。生活保護だからそうするなんて。私はそのお年寄りらとよく話したの。〝戦争行って、東京タワー作ったのは俺や〟って。〝大阪万博も、俺がいなかったらでけへんかったんやぞ〟って。

あの人たちは自分たちに誇り持っているのね。戦争の後ってみんな貧しかったのね、貧乏で勉強もできなかったたし。だから日雇いするしかなくてね。重労働で仕事終わったらお酒で体を癒す。

病気になったら誰が面倒見るの、って。それが生活保護。いま私たちが面倒を見ている老人たちが、日本の経済を支えてきたんですからね。コンビニ行っていつでも物が買えたり、新幹線あって便利になったのも、この人たちのおかげですからねって。

いまは80歳くらいの人たち。生活保護受けていても、ほとんど地元じゃない人が多いんですよ。そこの行政に相談しても片道切符もらって〝西成行け〟って、ここに居着いた人ね。いろんなイメージあるけど、私は西成大好き。そういう人たちと病院で接してきたからね。最後にここ流れてくるっていうのがあるでしょ。ある意味、その人にとったら最後の生きるための希望の街でしょ。そういうプラスの考えがあってもいいんじゃない。苦労してきた人たちに恩返しする気持ちで接するのが、あさひのやり方ですね」

山本さんが言っていることは事実だ。実際にいくつもの行政が西成への片道切符代を渡して、西成に流れ着いた人間を筆者は今まで何人も取材した。関西地域はおろか、中部、関東でもその手法は半ば当然のように行われていた。

――素晴らしい理念ですね。お世辞でもなんでもなく。

「当たり前の考え方です。日本って、どこの国よりも治安が良くていい国でしょ。でも、日雇いのこの人たちが大企業の陰で支えてきたんだよって。その存在が忘れられているからね。いろんな事情があって、最期に1人ぼっちの人も多いでしょ。そのときに一緒に涙を流してあげられたらいいなと思うんです」

訳ありの人生だったり、何かに失敗した人たちにとって、これほど住みやすい場所はほかにないであろう。

過去を詮索しない、してはいけないというルールをこの街の人たちは守っている。

「西成って大好きですよ」

――訳ありの人間が来るじゃないですか。ある意味住みやすい場所ですよね。問題を起こさなければいい、優しいところですよね。

「そうね。人生を濃縮している街じゃないかな」

――あの狭い西成の一角に住んでいるほとんどが単身者。そこで酒飲んで和気あいあいと暮らしているのって、平和の象徴だと思って見ています。

「マイナスの面もあるけどプラスの面はみんな目が向かないのね。私、夜中1人で歩いていますけど、危なくないですよ」

――暴動起きたのも昔の話ですしね。

「なんで日本は暴動起きないか、って思いますよ。ごめんね、私の国はしょっちゅう起きますからね（笑）」

――メディアが煽ったり、動画回したり、それは間違いですよね。今そんなことやっているのはよそ者が多いですし。頑張って生きている人もいるし、夢持っている人、ここで死にたい人いっぱいいますしね。

「昔ヤクザで、ビクビクしている人もいますね。〝誰かが仕返しに来るかも〟って。そんなことないけど、なかなか理解できない。

でも、そういう人も暮らせるくらい住みやすい街。若い人が出て行かないように、だから学業支援したい。この街には住めないっていう若い人の流出を食い止められれば。

成果が出るのは20年、30年先でしょうけど。私が死んでも続けていけるように、だからコインランドリーを作った。支援事業は継続じゃないと意味がありません。

売名行為って言われても上等です。別にあなたの金使ってないからいいじゃない、って思っています」

――他人から見たら成功している人へのやっかみですよね。

「どうでもいいけどね。私もよくわからないけど、西成って大好きですよ。自分を飾らなくてもいいから楽やね。素の自分を見せられるっていうか」

――路上で寝ていても誰にも何にも言われませんからね。

「そうね！（笑）。夏の危ないときは水1本買ってってって、〝気をつけや〟とは言うけどね。冬は寒くて自然に目がさめるから大丈夫よ。

医療の問題は西成だけじゃなく、大阪全体の問題なのね。私西成しか住んだことないけど、別の区行ってもそうなんです。

でも西成は生活保護が多いからね。だから〝介護サービスがおいしい〟って人が言うんですよ。お金いらないからね。

だけど私に言わせればそれは根本の間違い。みんなの税金だからね。真面目にやっている人は損する。モラルが低いですからね。90パーセントは質が悪いね。お年寄りのこれからの人生を一緒に作っていく、ってうちの会社理念に書いています。

うちは真面目だからね。商店街行ったらみんなおまけしてくれますよ。〝あっ、あさひの社長のおばさん来た〟って（笑）」

――困った利用者っているんですか？

「そもそも困っている人がお客さんだから、これといってないですけどね。徘徊とかは電話かかってきますけどね。肌着の裏とかに電話番号書いていますから。うちの会社は24時間だから。他の会社で24時間はさすがに、ないかな。

経営理念・経営方針には、山本さんの力強い言葉が刻まれている。

収入なくて、生活できない人は困りますね。月末になって全くお金なくなっちゃう人。さすがにお金貸しません。1回、2回はお米あげるとかして助けるけどね」

――行政が乾パンとかあげたりしていますよね？

「社会福祉協議会ですね。ほんまに貧困な人向けにね。

困るというのはあまり無いかなあ。仕方ないっていうか。助けが必要な人は仕方ないね。だけど手を貸した人が元気になっていくと嬉しいですね」

あさひ在宅サービスは多くの従業員が社長である山本さんの人柄を慕い、当然会社理念に憧れて仕事に就く。決して楽で甘い仕事ではない。

それらを差し引いてもあさひ在宅サービスを愛し、山本さんを敬愛する人間がいる。美辞麗句を並べる気はないが、山本さんの考えには共鳴できる。

医療や介護に素人の筆者の質問にも、嫌な顔ひとつせずに真摯に向き合い答えてくれた。地元の経済誌などにも多数取り上げられている山本さん。この人の介護にかける気持ちは本物であろう。

取材を終えて、山本さんは西成を影で真剣に支えるひとりなのだろう、と強く感じた。

知られざる介護タクシーの仕事

——介護タクシー運転手　西村正一さん

この項で紹介する方は、西成を中心に〝介護タクシー愛愛〟をやっている西村正一さんだ。

一般に介護タクシーの認知度は低いが、車いすに乗るなど身体や精神に障がいのある方を送迎するために必要なサービスである。当然普通のタクシーとは違い、患者さんを運ぶストレッチャーなどを車の後部に入れるなどの作業もあるために、体力とボランティアの精神が無いと続かない仕事であろう。

また、利用者のほとんどが身体などに障がいがあるという特別な職種でもある。

話は雑談から始まった。

西成の現状

――今の西成はどうですか？

「これから新今宮の方からどんどん変わっていきそうですよね。センターも複合施設でややこしい建物になるとかで。病院も表玄関は出来ていて、今年中に動き出すんじゃないですか」

——今でも病院は取り壊しが決まっているセンターの中にありますもんね。

「あそこ女性は入院できませんからね、そこがホンマに普通と違う施設ですね。この前搬送で行ったら病院の受付の目の前で寝てますもんね。センターの下と変わらんなあって思いました」

——前は、あいりん銀行ってありましたよね？

「今でもあるんじゃないですか？（※2012年に廃止）西成区分署って名前で太子の方にあるんですよ。そこを銀行と呼ぶ人もいます。生活保護の支給を銀行振込にできない人っているじゃないですか。だからそういう人があそこに行くんですよ。支給日の時なんかそこにも並びますもんね。

今コロナの関係で、生活保護費は手渡しじゃないと絶対あかんという人も緩和して、福祉事務所通して銀行振り込みでうまくやっているから昔ほどは並ばないみたいですけど」

——あれはよくメディアで取り上げられていましたからね。

「私はこの仕事してからあの光景初めて見たんですよ。お客さんて車いすじゃないですか。西成区役所にある別館のエレベーターの下から行列ですもんね」

大阪市の生活保護費の支給日は手渡しなら月初で、振込の人間は月末に支給される。行動に問題のある人や、福祉事務所に通う人たちには手渡しで支給される。

その行列が物珍しく、メディアで報道されるのだ。

――介護タクシーの仕事っていうのは基本、病気の人を搬送するんですか？

「高齢になると病気以外でも足が不自由になる人がいるじゃないですか。そういうお客さんもいてますけどね。この前もね、一緒に携帯電話の契約に行ったりしましたけど。その人も病気というわけでもないんですよ。見た感じは普通なんですけど、高齢だから足に力が入らないそうで、色々ですね」

介護タクシーを利用できる人間は、２００６年に国土交通省が発表した〝一般乗用旅客自動車運送事業〟によって定められている。

身体障害者福祉法第四条が規定する身体障害者手帳を交付されている者や、介護保険法第十九条第一項が規定する要介護認定を受けている者。また、同じく介護保険法第十九条第二項で要支援認定を受けている者。

そのほかに、肢体不自由、内部障害、知的障害や精神障害などにより、タクシーを含む単独での移動が困難な者。

それに、消防機関などのコールセンターを介して患者搬送事業のサービスを受ける患者などが主な利用者として定められている。

「ヤクザ屋さんもいてましたね」

——今顧客はどれくらいいるんですか？

「何人いるかはわからないですね。でもね、増える時は一気に増えるんですよ。13年くらいやっていますからね。もう1000人くらい一気に増える。携帯の電話帳には3000人くらい入っているんじゃないですか。1回限りの人もいますしね。この前整理しようと思ったんですけど、もう大変なことになりましたからね」

——お客さんは病院からの紹介が多いんですか？

「ほかの介護タクシーやられている方は、病院から病院が多いと思うんです。僕らは近い距離もやっているんで、数メートルや数秒もあるんで。ケースワーカーさんからの紹介とかもありますね。値段は基本貸切ですね。乗ったら2800円とか。あとオプションとかもありますんで。車いすを病院に持ち込んだり、一緒に買い物したり時には小旅行したりなんかも」

——旅行なんかだと、お客さんが全部出してくれるんですよね？

「もちろんそうです。なんていうんですか、タクシーはお客さんを探す感じじゃないですか、普通は。

介護タクシーで、特に私はお客さんが求めてきたことに対応する形なんですよ。〝誰でもええから、どこかに行きたい〟というお客さんはそういうとこ、つまりそのような介護タクシーを探す。運転手という付き合いではなくて、通院とか買い物を一緒にやっていると友達みたいになってくるんです。

お客さんの中で想像力が膨らんで、友達やから年に1回お花見に行きたいから連れて行ってほしい、とかね、いろんなお客さんがいますよ」

西村さんに実際に会うと分かるのだが、人として優しい。それが話していて伝わってくるのだ。そのような人柄がお客さんと密接な関係性を生むのであろう。

——そんな関係性は素晴らしいですね。

「人に感謝される仕事はやりがいもあるし、楽しいですね」

——いま、言われているのはいいお客さんじゃないですか。悪いお客さんというのはどうですか?

「いてはりますよ。でもそういう人とは、ちょっとずつ離れていくようにします。あまり相手しないようにします」

筆者の性格上、どうしても話は人の裏側に入ってしまう。

――それは西村さんから見てどんなお客さんですか？

「時間を守らなかったりとか、稀にいます。

あとヤクザ屋さんもいてましたね。ヤクザ屋さんは病気になる確率高いじゃないですか。なったらいきなりヨボヨボになりますからね。でもそんな方も親身に接するとホンマは心が優しい人なんやな、と思いますわ」

――先ほど少し話されましたが、料金体系とかがまったく想像付かないのですが。

「さっきの話に戻しますけど、料金というのは国交省で決められているんですよ。それを僕たちがチョイスするんです。大型車だといくら、中型車だからいくら。それに距離やオプションなどを計算して料金を出します。

大型車なら寝ながら運べるストレッチャーがついていたりとか。あれを僕だといちいち取りにいかなあかんから。だから大型車は積みっぱなしです。

それでそれぞれの棲み分けができているから、介護タクシー同士患者さんの取り合いでぶつかることもないです」

――大型車と中型車だけですか？

「それはやっぱりこの中間というのもいるんですよ。その時に、俺らお客さん選ぶというか、まあ選ぶほどはいないんですが、中には邪魔ばっかりするお客さんているんですよ。

そういう人らは中々対応しにくい。」

と、語る。

寂しくていつまでも介護タクシーを降りずに無駄話をしたりするお客さんは残念ながら敬遠される。それは時間で動く人間にとっては当たり前であろう。

信頼を築き上げていく仕事

——結構介護タクシーというのはワガママ言えるんですね。例えば旅行に行きたいとか。

「自分の要求を持っている人というのは、ものすごくありがたいんですよ。そういうお客さんを大事にしていったら、僕らのワガママも聞いてくれるようになるんですよ。

お客さんの要望の時間に行ける人たちとか探してるんやけど、〝どうしてもあかんねん〟って言うと、〝だったら1時間ずらしてもええで〟とか。要求が強いお客さんというのは、実はこちらの要望も聞いてくれるんで、仕事がやりやすくなるんですよ。

仕事が何百件来たとしても、できる仕事は限られますやんか。それならこのノートの中にどれくらい自分が対応できる件数を増やしていくかというのはすごく大事になるんですよ」

西村さんは自身の仕事の哲学を語り、利用者に感謝の言葉を伝えることを忘れない。

「同じ時間になっていてもほんのすこし時間や日付を変えるだけで助かるというのもあるんですよ。だからある意味、要求言ってくれるお客さんに助けられる、というのがあるんですよ。

普通のタクシーって、ただ走っているだけですよね、時間と距離だけで。ほなお客さんが手を挙げてたら乗せますやん。

ところが介護タクシーというのは契約で、次に頼むわな、という関係性じゃないですか、うまく仕事が分散するようにつなげていければね。人によるという感じなんですよ。その介護タクシーが好きな方は好きな人に寄っていくという」

――個人タクシーみたいなものなんですね。

「そうですね。7、8年前のことですが、誰に電話しても誰もつかまらず、タクシー会社に連絡してみても、受付の人が情報を運転手に回してくれないから現場の状況が全くわからないということがありました。受付の人は大丈夫と言うとるけど、本当に大丈夫かわからないですし。

ほんまに現場にちゃんと行くのかすらわかりませんからね。責任感がどこまであるんやろ、言う感じですね。

お客さんがそういうとこ電話しても一緒なんですよ。受付が指示書を書いて、運転手に回していくだけなんで。僕らはそれじゃ絶対無理なんですよ。行ったからって、こんな狭いとこからどうやって出すんだ、とかよくありますからね。それはホンマに状況を知っている人間しか分からへん」

——救急隊員なんかは、背中に背負ったりしていますよね。

「ただ、僕らが救急隊員と違うのは1人なんですよ。1人でなんとかせなならんので。けど、聞いていた話と違うぞ、というのもよくあるんですよ。

行ったらこの外の階段で棒みたいになっている人をなんとか降ろさなあかんみたいな。そんな人はホンマに重いですやん。滅多にないですけどね」

実際に、現場での対応は救急隊員よりも介護タクシーの方が親切で適切だったという声も多く寄せられているという。

——例えば、西成というのは特殊な街で覚醒剤の温床だったじゃないですか。覚醒剤打ったら苦しくなりました。しかし、救急車は呼ぶと医者が通報して捕まっちゃう。そういう場合、どうします？

「そこまで考えがいかんと思います。困って困っての介護タクシーなんですよ。ツテがなくて誰かに聞いて、来てもらえるんですかという感じで呼ばれることが多いんで。ヤクザなんかはまさか介護タクシー利用しようなんて気持ちはないんですよ」

——そうですね、自分の頭の中にも困ったときには介護タクシーという考えはまったく無いです。

「例えば家でシャブやっておかしくなって、こりゃ病院にいかなあかん、という緊急時には介護タクシーはわざわざ呼ばないと思います。

最初から介護タクシーなら通報しないとか、思っている人は確信犯でしょうね。呼ばれても一見(いちげん)じゃまず無理ですよね、行かないです。でもまだまだそういう意味では私ら介護タクシーの認知度は低いですよね」

——介護タクシーは普通のタクシーみたいに協会はありますか？

「全国介護タクシー協会っていうのがあるんですけど、一応形だけの講習があるんですが、どうせやるならしっかりしたとこでやりたい言うて講習は東京行きましたわ」

——そういうのがあるんですね。

「その当時の東京では売り上げ的には頑張っても70万がいっぱいと言ってましたね。今はもっとあるかもしれませんけど」

——今タクシー業界ってコロナの影響もあって不況じゃないですか。介護タクシーに不景気はないんですか。

「やっぱりコロナで需要は減ってますね。それは病院に行く人間が減ってきたからですね。例えば小旅行に行くってことがないでしょ。今コロナで外出禁止が出てるからって。先ほど言ったお花見の時は、緊急事態宣言ギリギリだったんですが感動してましたね。あと薬も多めに出るようになったんで、これまで通院していた回数より減ってますわ、毎月1回病院に行ってた人が、3ヶ月に1回でいいようにしてくれているから、僕らの出番も減りますよね」

――確かに病院に行くと、予約以外の患者さんは少ないですね。

「街のクリニックなんて密になっていたりしますからね。あんまり人がいない病院に行ったり、逆にお医者さんが家に来るとかもありますよね。この時期、やっぱり施設に入っている人も弱ってる。毎日面倒見に行ってる人が数ヶ月に1回になってしまってたりするんでね。やっぱり身内や知り合いが会いに来てくれるというのは薬になっているんでしょうね。実は何人もそれで亡くなっているようですよ。3人くらい亡くなりましたけどね。この時期は身体の具合は安定する時期なんですよ」

――まさに季節の変わり目ですね。

「これから秋から冬に温度がキュッとなるときに亡くなりやすいんですよね。自律神経が不安定になるんですよね」

客とのトラブル

――介護タクシーをやられていてディープな話というのはないでしょうか？　例えば死体を運んで海に投げ込むとか。

「聞いたことはありますけど、よう知りませんね。それは兵庫県の話でありましたね、確か。単純に考えて夜に電話かかってきたとしますよ。僕なら夜中なら知っている施設や、人間じゃなきゃ出ませんね。

死体を運んだのは、あまり常状を知らなかった介護タクシーなんだと思いますよ。途中でわかると思うんですよ。こらおかしいなって」

自分の車に死体は入れたくない。

それは誰しもが思うことであろう。そのために、レンタカーなどを使ったり、人の車を使うケースが多いが、介護タクシーならタクシーより職務質問にあうケースも少なく、まさに適切だと思うが、いざという時には介護タクシーは一般人には選択肢のひとつとしては思いつかないのが普通であろう。

――客に暴れられたとかの経験はありますか？

「ああ、1回だけありますよ。お客さんを西成警察の方に行く道で乗せて。そこで家庭裁判所かなんかに行くとかって言ってね。

ほんなら車いすのその年配のお客さんを乗せて車いすを固定しますやんか。そしたらいきなりうわーっとドツきよって。

あれキリか何かでやられていたら死にますよ。すぐ降ろして二度と電話すな、言いましたけどね。後頭部殴られたというのが、プライドもあって嫌でね。自分も格闘技やっていたのにね。それ1回だけですね」

見た目が優しい西村さんが格闘技をやっていたのは意外だが、腕などは太い。それは普段の仕事からくる筋肉と思っていたが、格闘技の経験者だったのだ。

——客層は基本的に動けない人ですもんね。

「ヘルパーさんも普通ですしね。ヤクザさんもいっぱいおったけど、逆に優しかったですね。〝僕、身体に鉄分多いからね、MRI受けれんからな〟とか言ってきて。刺青入れてんやな、ってわかったし。結構紳士でしたよ。

毎日済生会から大正区の商店街まで送ってた人いましたけど、刺青入れてたしヤクザだったと思いますよ」

刺青が入っている人はMRIを受けるときに、やけどなどが発生する場合がある。刺青に入れる色に鉄分が含まれていて、ＭＲＩの強力な磁力に反応し熱が生じるからだ。

一部の病院などは同意書を求められて受診できる場合もあるが、一般的にまだ診療を拒否する病院のほうが圧倒的に多いであろう。

――Ｃ型肝炎なども多いですし、体調悪い人も多いですよね。

「2、30年前ならば針の使い回しがダメとかそういう常識も無いでしょうからね。あんまりそんなにダークな思いしていませんね」

Ｃ型肝炎の場合は、血液検査とＣＴスキャンが行われるが、この場合は前述したＭＲＩと違い、問題はない。

――普通のタクシーの方がそういう思いしているかもしれませんね。

「僕ね、勉強のために年に何回か自分でタクシー乗るんですよ。最近新しい小型の車が出てきたから乗ったんですけど、やっぱり危ないですね。刺された人がいるとか、バンバン殴られた人とか。いっぱい運転手さんが話してくれますわ」

介護タクシーの今までとこれから

――介護タクシーって何年前からあったんですか？

「20年前にはあったと思います。僕が13年くらい前に始めたときに、もっと古い人がおったんですよ。その人は当時、〝3年前に自分のお母さんをタクシーに乗せたとき、これは俺もやろうと思った〟と言っていました。だから20年くらい前なんじゃないですかね」

西村さんの言うことは当たっていた。

介護タクシーの始まりは、ある資料によると1998年というのが定説になっている。

――今は介護タクシー用の車をそのまま売っているじゃないですか。昔は改造して作っていたんですかね？

「うーん。そうでしょうね。ちゃんとした構造じゃないと認可がおりませんから。僕らがやり始めたときは今の車の形とそんなに変わりませんでしたね」

――ぶっちゃけ儲かってますか？

「今売り上げは減ってますけど、僕がやり始めた時は割と営業がうまくいったんですよね。営業のノウハウを前の仕事で知っていましたから、1回しか営業してないですよ。

売り上げっていうのは上下していきますやん。この月はこの売り上げだからローラー作戦していこうとか、次の月はチラシ配ろうとか、お客さんを受けるかどうか決めていくじゃないですか。でもほんとそれは1回だけで、うまくいってますんで。でも大事なお客さんがいて、回していくのが大事ですから宣伝だけやってもダメですね」

このような特殊な仕事の場合は、営業力よりも西村さんのように人間性が優れているかどうかに左右されるのであろう。

――西成区って他の区に比べて生活保護受給者も多く、老人が多いと思うんですが、そうなると介護タクシーの未来は明るいですか？

「どうでしょうね。僕、近くに送るのが多いって言ったでしょ。でも、近くの病院に行く人全員がタクシーに乗るわけじゃないんですよ。実際はほとんどがヘルパーさんに車いすを押してもらっている。

ただでさえ少ないタクシー利用客のそのまた一部が、うちの介護タクシーを利用してくれているというだけなんで」

――介護タクシー利用に生活保護費は出るんですか？

「出る人と出ない人がいますね。例えばすぐ近くの人なら車いす押して行けって言われるでしょうし。この人は絶対この病気だから、あの病院行かなあかん、という人も、実はもっと近くで受診できる病院あるんですよね。

そしたらもっと近く、もっと近くとなってくる。最後は車いす自分で押して行けって言われますね。でもペースメーカーつけて、ここでなきゃあかんっていう人もいるかもわかりませんからね。ヘルパーさんやケアマネージャーさんの交渉力にもよるでしょうね」

――自腹じゃ払えない金額ですもんね。

「例えば西成から梅田まで、往復6000円は掛かるでしょうしね。細かい金額は微妙なんですよ。例えば南港の介護タクシーが西成きて梅田行ったら6000円は超えるでしょう。時間計算ですからね。

介護タクシーは、30分という貸切料金で必ず2回は超えますからね。だから倍で6000円ですね」

介護タクシーで儲かるのは難しい

――ほぼ純利ですか？　営業用の緑ナンバーですか？

「そうですね。車をローンにしてマンションもローンで大変な人もいるでしょうね。かなり広いスペースがないと登録できないので。

介護タクシーの世界も困っている部分もあるんですけど、お客さんも困るんですよ。こんなとこに頼みたくないのにヘルパーさんの絡みでここに頼まなきゃいけないとか。

人間関係ですからね。

やり方とかは僕ら個人事業主ですから、誰も教えてくれないんでね。今はアプリとかもありますから、これからどんどん変わっていくとは思うんですが、個人ばっかりの集まりなんでなかなかうまくいかないですね。業種でいえば、タクシー会社の中にあっても爆発的には売り上げ伸びないと思いますわ」

――もし儲かるとなれば、新しい人は入ってきますよね？

「僕らはシステムじゃなく、人についてきますから、なかなか難しいでしょうね」

――規制緩和で介護タクシーにどんどん素人が入ってきたらどうなりますか？　例えばタクシーも白タクなんかありますよね？

「緑ナンバーではなく、普通の車で。介護タクシーがそうなったらもう終わりですね(笑)。できることをみんなやり始めて、みんな参入しだしたらやばいですね。

ヘルパーさんなんか、どうやったらできるんですか、って聞かれますけどね。でもね、儲かる奴は必ず儲かる。逆に全然金ない奴もいるんですよ。売り上げより使ったお金の方が高いと必死になるじゃないですか。でも、そういうこと考えない人間多いんですよ。介護タクシー始めたらなんとかやっていけるという人間がね」

介護タクシーには、〝認可〟と〝許可制〟の2種類があるという。

当然、人を乗車させるので二種免許は必須だが、それ以外にヘルパーの有資格者でないと、営業は不可能だ。今では介護タクシーの許認可を取る専門の行政書士が存在し、約

20万円の資金と半年の時間を待てば介護タクシーの営業ができるが、仕事内容を考えると、素人が気軽に考えて新規参入できるレベルではない。

壁は低くはなったが、意識が高くないと素人がいきなり参入するのは難しいのだ。

――話を伺っていると、厳しい世界のはずなんですけどね。

「お客さんも慣れている、自分も慣れている。そういう関係性がいいんですよ。お互いワガママも聞けるというね」

――今は西成というか、大阪で何台くらいいるんですか？

「よく分かりませんね。最近若い人が増えてきましたね。年寄りが介護タクシーやってたイメージ強かったんですけどね、60代とか。

今は若い人が多いですよ、女性も増えましたし。近いとこに送っていくタクシーならできますし」

古い資料だが、調べたら全国で介護タクシー事業者は1万台を超えていた。少子化が進み高齢化が進んでいる現在では、その数をはるかに超えているだろう。

――支払いなどの決済は、その場でやるんでしょうか？

「その場です。タクシーによってはカードでも払えます。僕が行けない場合、責任持てないんで基本精算はその場です。生活保護の場合とか、病院に行かないといけない方は役所

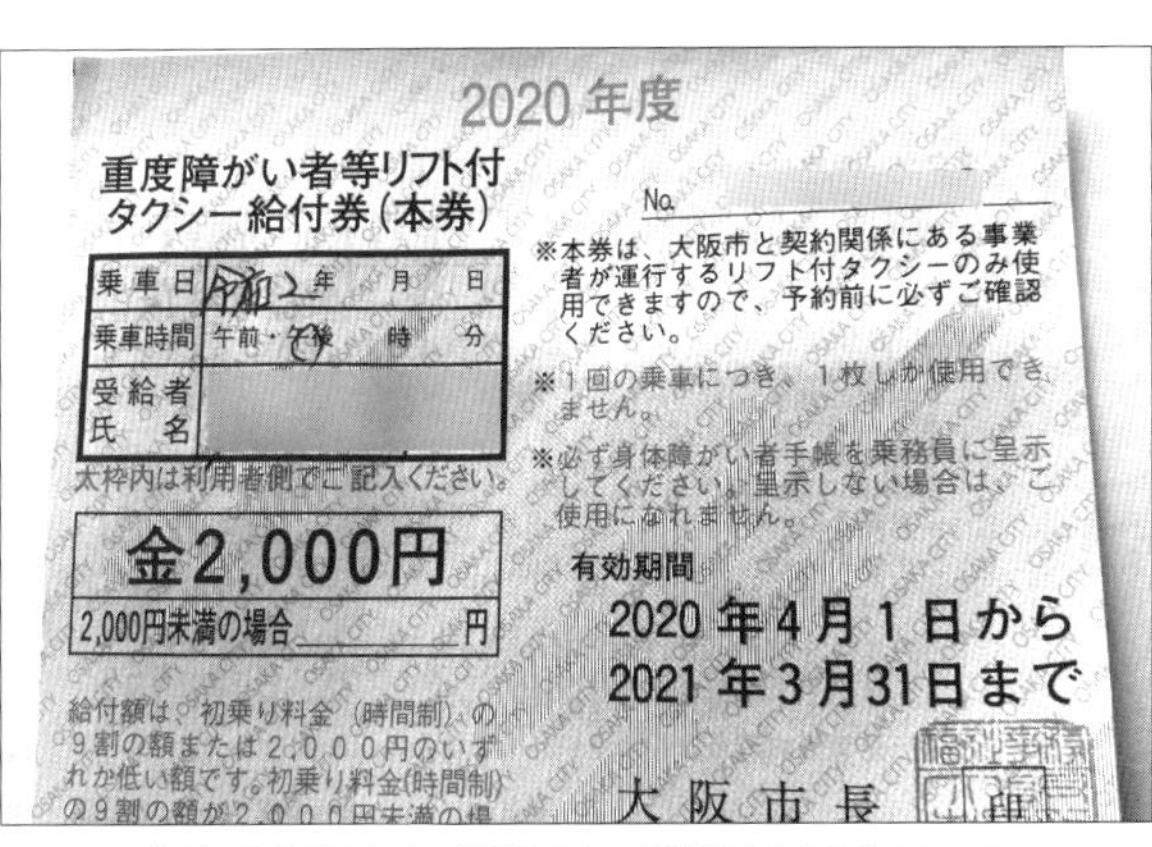

2020年度

重度障がい者等リフト付
タクシー給付券（本券）

No.

乗車日	令和2　年　月　日
乗車時間	午前・午後　時　分
受給者氏名	

太枠内は利用者側でご記入ください。

金2,000円

2,000円未満の場合＿＿＿＿円

※本券は、大阪市と契約関係にある事業者が運行するリフト付タクシーのみ使用できますので、予約前に必ずご確認ください。

※1回の乗車につき、1枚しか使用できません。

※必ず身体障がい者手帳を乗務員に呈示してください。呈示しない場合は、ご使用になれません。

有効期間
2020年4月1日から
2021年3月31日まで

給付額は、初乗り料金（時間制）の9割の額または2,000円のいずれか低い額です。初乗り料金(時間制)の9割の額が2,000円未満の場

大阪市長

役所から発行される、介護タクシーを利用するためのチケット

からのチケットで清算です」

そのチケットには当然役所の印と使用者の名前などが入る。使用者の名前などは手書きだが、金額は1枚〝2000円〟と印刷がしてあるのだ。

チケットが無くなったら役所に申請するのだが、不必要に使うと当然役所から注意をされて、以後使用ができなくなったりするケースがあるという。

——お金無いんです。って言われたらどうします？

「1回だけありましたね。でも忙しかったから、ほってまいましたけどね。〝家に取りに行くから待ってて〟とか言われたんやけど、もう他が詰まってるからええわって」

——1日何件くらい回っているんです

か？

「その日にもよりますね。十何件の時もあるし。遠距離なんか、1件で5、6万かな。長距離はタクシーと同じようにメーターでやるんでね。

時間貸切にしちゃうと、下手したら淡路島とか行っても数千円になっちゃうんで」

――基本料金はいくらなんですか？

「ええと、使う車両の大きさで変わりますが、平均して700何十円。僕ので700円くらいじゃないですか。今は1・何キロか。規制緩和で、1キロいくらという話も上がっているんですよ、あれは高くなりますよ」

西村さんの福祉事業にかける熱意は本物であろう。筆者にはできない仕事である。話は西村さんのお洒落な自宅で伺ったが、気を休めることができない普段の疲れを癒しているのだろうか、自宅は凝った造りであった。

最後に、「いつでも遊びに来てくださいね」と言われたが、筆者にも利用者が西村さんを指名してリピーターになる気持ちが分かった。

福祉事業のなかでも絶対に必要であり、裏方に徹する介護タクシーに情熱を掛ける西村さんには、いつまでも弱者を助けていただきたい。

【第三章】—西成の「生き字引」たち

街を知り尽くす男が語る「あの頃」

——かずやんさん

筆者が西成の取材を始めて20年以上は経つ。

初めは手探りで西成のあいりん地区の取材を始めたのだが、その取材の過程で知り合ったのが、今回インタビューに応じてくれた〝かずやん〟だ。

かずやんは、筆者にとっては西成のことをすべて教えてくれた先生である。寒い日も、暑い日も自転車を近所から借りて、一緒に走って色々な説明や街の成り立ちなどを教えてくれた。違法賭博をやっているノミ屋やゲーム屋にも顔パスで入れる人間だった。

かずやんは西成で長い年月を過ごしている。

かずやんが語る、西成の歴史

——かずやんとは知り合って長いですよね。初めは関東の人という呼び方で僕を警戒していましたが、本当に長い付き合いになりましたね。

「そやな、20年やな、ホンマに長いな」

——前に教えてくれましたが、〝釜ヶ崎(かまがさき)〟という呼び方には色々な説があって、かずやんは巷で言われているのは違うんや、と言われていましたが、釜ヶ崎の地名というのは、あそこで塩を炊いていたから釜ヶ崎というんですか？

「そやな、ここは盆地になっとるやろ。だから昔は塩田があって釜が必要だったと言うオッサンもおってな。それとか〝釜を先に持って来い〟の説や、色々やな。だけど、どっちが嘘かホンマかわからんで。他にも説があるかわからんけど、そやから釜ヶ崎というのはおもろいな。

昔な、ちょうどドヤや飛田新地の裏っかわに寺があったんやな。盆地の上やな、今の市立大学病院の辺りやったな。結婚式とか金持ちの葬式をやってた会館も兼ねた寺や。そこにしょっちゅう泥棒が入っとたんや。皿や仏像や、それらを泥棒市で売るわけや。盗った本人はいいわな、何千円かになるし。買う側も値打ちが分からへんやんか。けど、そこに毎日買いに来る客がおるんや。車で地方からやで。何倍もの値段で買いよるから、売る方も嬉しいわけや。

ところが、後から被害届を見たらそれら全部国宝級や。そこな、寺の名前ないねん。誰に聞いても知らん言うんや。ホンマはあったろうけどな、なんていう名前か昔の話でホンマに忘れたんやけど、あっこの裏は全部ええとこの出が多かったんちゃう？　歴史にすると江戸時代になるわな」

――元々西成警察署の前って紀州街道じゃないですか。

「せやから、夕陽丘とか。それこそ兜やらああいうのもな。歴史があってもバラバラになるわな。みんな盗まれて無くなるわな」

いま、西成のあいりん地区のメイン通りとして知られる道は〝紀州街道〟と呼ばれる有名な街道である。その歴史は古く、安土桃山時代には豊臣秀吉も通り、いまも残る〝天下茶屋〟は豊臣秀吉が立ち寄ったことから名前が付いたという。

その後、この街道が大阪から堺を抜けて和歌山に通じる道のために、多くの武士や商人などが行き来していたであろう。

歴史は皮肉なモノである。

かつて西成に存在した「シャブホテル」

――かずやんが、西成のドヤに入ったのはいつですか？

「そんな古くないわ。最近や。30年も経ってない。〝オーシャン〟が一番長い。ペッチャンコの平たい1泊何百円のドヤやった、初めは。

銀座通りあるやろ、あっこに真っ先に建ったんが〝エスカルゴ〟や。あれを〝帝国ホテル〟いうて、ワシらの間ではそう呼んどった。その前が銀座通りな。東京でいうたら帝国ホテル、値段も1泊2000円や。だから一番良かったんや」

かずやんが話す〝銀座通り〟は、前述した紀州街道のことを指している。

——当時としては高いですよね。平均してドヤの値段はいくらくらいだったんですか？

「あーコレが多かったんや。これコミやからな。ドヤでコミコミなら300円とかな」

と言って、かずやんは小指を突き立てた。

紀州街道は、あいりん地区のメイン通りだ。

——女を連れ込んでOKだったんですか？　連れ込み宿ですか？

「そのドヤをその組が仕切ってたから、女もシャブも良かったんちゃうか？

遊郭でもそうやろ。場所によってバラバラや。そういうあれや。みんな色々な組が面倒を見てた、そんな時代やったな」

筆者がかずやんと知り合ったのは、今はなき〝オーシャン〟というドヤの前である。取材で歩いていた筆者に〝関東の人やろ、シャブ欲しいんか〟と話しかけられてからの付き合いだ。

その当時の西成は、住民のほとんどが覚醒剤に絡んでいたと言っても過言ではない。覚醒剤の売り子に客を連れて行くと、小遣いが貰えたからだ。

だから、見知らぬ人間が目の前を通ると小銭欲しさに誰もが声を掛けていた。

――オーシャンに20年住んで、どんな人がいました？

「シャブ関係が多かったと違うんかな。みんなに親分親分と言われた人間が最後になったら12、3年の刑で出てこれんと往生しとったわ。だけど親分呼ばれてドヤ暮らしはないやろ、末端の卸元がせいぜいちゃうか」

――シャブ関係は、10人いたら何人くらいの割合でした？

「全部が全部言われたらそうやし、でも半数か……。やったらあかんぞ、言うのもおるしな。真面目に働いてるオッサンもおったし。だけど半数はシャブいって頭おかしかったんとちゃうんかな」

西成には、かつて〝太子プラザ〟というシャブホテルがあった。

下から上まで売人やヤクザが宿泊し、部屋を月極めで借りていた。中には1発2000円で覚醒剤を注射してくれる部屋もあり、自分で注射を打てない人間は重宝していた。しかし目の前には警察官が常駐し、ホテルから出て来た人間を全員職質するなど、そのホテルに行くのは逮捕されにいくようなものであった。

たとえ抗争中の相手であっても、ホテルで会えば会釈をするような関係が構築されていた。末端の使用者が覚醒剤使用で捕まると、一時期の東京で〝イラン人から貰った〟と言えば追及されなかったように、〝太子プラザで買った。部屋は覚えていない〟という言い訳がまかり通っていたほどである。

一室にガサが入ると、下にいる管理人が連絡し、その該当の部屋からほかの部屋に覚醒剤を移して摘発を逃れるような行為が続いていたために、最後は管理人、客も含め大量検挙され、シャブホテルは無くなったのだ。

——オーシャンの1階には博打場があったじゃないですか。

「おーそうや。シャブやって、みんなで博打やっとった。大浴場に全部蓋をして、サイコロ博打やっとった。客も結構いい親分とかも来とったたんとちゃうかな」

——仲卸みたいなのがいたんですか。みんなシャブを待ってましたもんね。

「みんな捕まったな。4年くらいで出てくるけどな。売り子は十何人も捕まったんとちゃうんかな。

となりの部屋の奴がいきなりいなくなってガサ入って、ワシのところにも警察が来て〝お前預かっとるとちゃうんか〟言われたりしたな」

かずやんが居住していたオーシャンは、目の前に覚醒剤の売り子が立っていた。ワンパケの量も微かに多く、ほかの場所に立つ売り子よりも人気が高かったという。

また、オーシャンの住人の中には仲卸もいたため、客がドヤのロビーで覚醒剤を待っていたなどというおかしな現象も見られた。

――かずやんと知り合ってからもけっこう色んな人が死にましたよね。

「死んだな。死んだとか言うとったら、次々に出てくるかも分からへんけどな。〝お前生きとるやないか〟って(笑)。時計屋の向かいのやつ知らんか？　そいつも死んだないうて。みんなホンマに死んどるわ」

――みんなシャブの食い過ぎで死んでいるんですか？

「そりゃみんなやっとるやろ、少なくともここの住人やったら。俺なんかも1回なんかの悪いネタでいってて。部屋に入ってもクーラーも入れてないから、くっさいなーって。

当時は全部それや。ネタの匂いや。部屋で炊き直しとして混ぜ物入れとったからな。何でも白かったら入れよるでホンマに、悪い奴らやで。

だけどな、ここの住人は悪いネタでもいきよるからな。
当時のドヤは100円入れたら30分回るとかな、コインクーラーとかそういうのあるやろ、全然効かんけどな。夏は暑いからジーッとしてるだけや。冬は逆に動き回らんと。ずーっと歩きっぱなしよ、寒くて死んでまうから。シャブ入れてるから平気やねん、歩くのは。あれは疲れを取るクスリやからな」

——西成警察署前はホームレスなどを寝させないように、水撒いたりするんですよね。

「そや、あそこの前が一番安心や、襲われないやろ。だけどな、警察署の前におる方がおかしいわな。パトカー帰って来たらみんなで拍手や。お疲れさんて。新人の警察官なんかは敬礼する奴もおったな、昔は」

誰もが刃物を持ち歩く街

——そういえば、阪急ホテルで働いていたって言っていませんでした？

「阪急グループの新阪急ホテルや。板前いうより小僧やな。小麦粉運んだり、丁稚や。厨房の中は入れへんから」

——その時はドヤに住んでいたんですか？

「ドヤのわけあらへんがな。ドヤに住んどったら仕事できへんやろ、ドヤちゃう。普通のアパート。文化住宅みたいなもんや、それから変わったのがエスカルゴ、さっき言った帝国ホテルや」

——ドヤにいると人間関係がしんどいですか？

「俺はそんな目におうたことないけど。ホモやないんやけど、友達以上の関係があんねん。同性やけどあいつに取られたとかな、悔しいとか。それで刺し殺してまうねんな。それは今でもあるんちゃうか」

——前に言ってましたが、誰でも刃物を持っているんですか？

「それは間違いなく持っている。自分がやられた経験があるから。今ならカッターナイフや。だからここで人がやっていることに口を出したらあかんねん。

結局人を刺して警察署や刑務所に行っても、そこで暮らしとったらしんどくないねん。辛くないねん。屋根も付いとるし、飯の心配もないやろ？　それで出るときにはいくらかの小遣いくれる。そりゃ楽やないか」

小遣いとは、受刑者が刑務所で作業をしてもらう報奨金のことである。

時給に換算すると、初めは5円からのスタートだが、刑務所の中で欲しいモノを買わずに我慢すると、長期刑の場合は世間から見たら微々たる金額だが、多少は貯まるのだ。

――銃刀法に触れないものを持っているんですね。

「そやな、6センチ以下とか、自分で折って刃物を改造したモノを持って歩いとる。萩之茶屋と天下茶屋じゃえらい違いや。天下茶屋の住民はホンマにおとなしい、だけど萩之茶屋や山王に住んどる人間や歩いとる人間はホンマに要注意や。武器やなくて防御するために刃物持っとるからな。ホンマにここは労働者ばっかり集まりやすくなって、そこら怖くなったんやろな。〝寄せ場〟いうんか、関東風では」

かずやんは過去に足や腹を刺されて、立ったり歩くのもしんどいときもある。刺された数ヶ月後に会ったのだが、大きい傷は足の付け根にもあり場合によっては動脈も切れる傷であった。その傷跡は当然いまも足や腹に残っている。

――かずやんが刺されたのは何年前です？

「58、9やからもう10年前。ハッキリ覚えてへんけどな、刃渡り18センチの刃物を2本持ってたんや。それで2回いかれとるからな、ブスブスと。自分でわかるねん。腹や。西成はまた変わっとんねん。ほんまは死んどったんやで。大阪市内の俺の行きつけの先生のとこに連れてかれて、カルテとかあったから助かったんや。持病とかあるやろ。下手な止血されとったら死んでた言われたわ」

――大阪市内に緊急搬送されたんですか？

「そうそう。市大あるやろ。そこの外科な。こりゃあかんと主治医が傷見て言ったらしいけど、それで普通は逆やろ、大きい病院から小さな病院に運ばれたんや。俺は痛くてそんなの覚えていないけど、死なんかったな」

かずやんから市大の話が出たので、ついでに薬のことを尋ねた。今は買う人もいなく、管理が厳重なので持ち出すことは不可能だが、この市大からはモルヒネも横流しされていたという噂を前に聞いたからだ。

――市大や医療センターの薬を横流ししていたって話聞いたことありますが、本当ですか？

「全部や全部、嘘やなくホンマに全部流しとったんや。泥棒市にな。眠剤に湿布のテープ、あとわけのわからんやつを並べとるやろ。それを欲しい人間もおるわけや。

売っとる人間も何の薬か分からへんし医者やないんやから。あそこは並べとけば、みんな買っていくんやな、不思議やで。

客はな、昔っから〝安定剤の方がええ〟と、大概みんなそう。シャブを食って落とすのに使うんやろうけどな。昔はホンマにひどかったから、ワンシート数百円や。俺は赤玉ばっかりや。エリミンやな。

バラバラなら1個10円。綺麗にワンシート揃って３００円か。今はちゃうで、ホンマにもっと高い。足元見とるからな。モルヒネはいまさすがに無いやろ、昔はあった」

かずやんがいう赤玉とは、正式名称〝ニメタゼパム：エリミン〟という薬剤の名前である。効果が高い分、睡眠薬を使った窃盗事件や事後強盗などに使われ、2015年8月で、在庫分だけで生産終了となり、市中には出回ってはいない。

しかし、今でも泥棒市では奥に隠される形で売られていて、ワンシート3万円の値段で売買されている。

かつて西成で起きた〝暴動〟

かずやんは、西成の暴動に参加した経験も持っている。

——かずやんも、西成の暴動に参加したと言ってましたよね。

「野次馬やけどな。せやけど一番最後の暴動なんて、京都やとか神戸やとか、関西からみんな見学に来とったな。住んでいる人間にしたら目の前でお祭りやっとるから結構うるさいし、しんどいで」

西成は〝日本で唯一暴動が起こった街〟と表現されることが多いが、それは大きな間違いである。街としての暴動は山谷や渋谷など数多くの街や場所で起こっている。

ただ西成は2008年までに24回という暴動事件が起こり、回数が特段に多いことで知られている場所である。

――この前は地方から参加者が来ていましたよね。

「最後の暴動か。あれが一番小さい。二十何回のうち。あれで警察に追われて終わった。いきった警察官が土下座するとかあったやろ。あれみんな大きい暴動やったな。

最近の暴動は10年以上前やろ、みんな年取ったから体力持たへんやんか。騒いでるのはよその人間が多かったんとちゃうかな。ここらの人間は殴り合いをしていても、30秒も殴り合いしたら息切れでゼイゼイして終わっとるわ。

暴動でな、一番かなわんのは商売人やで、ホンマに。

暴動とか綺麗なもんちゃう、火事場泥棒とかあったからな。いまニュースで見る海外の暴動で商店を壊して品物かっぱらうやろ。それが西成で確かにあった。それをシレっとして、次の日には泥棒市で売っとるから商店の人間は焦っとったわ。

暴動はな、当時力があった人間が指導者でおってな。それらが仕切っていた極道と一緒でバチンバチンかますんや。バットに五寸釘打ち付けて」

――それは左翼のやり方ですね。

「そうなんか、ホンマか知らんけどな。ホンマごっついで暴動は。問題になったのは白手帳な。あん時のちょうど政治家やんな。東京は美濃部やろ、京都は蜷川やろ、大阪では黒田か？　みんな労働者に金を落とす革新系やったからな、白手帳とかもそうやしな」

かずやんが説明する美濃部とは東京都知事だった美濃部亮吉（みのべりょうきち）であり、蜷川とは京都府知事であった蜷川虎三（にながわとらぞう）、黒田とは黒田了一（くろだりょういち）のことを指している。

美濃部亮吉が東京都知事だったのは、１９６７年から１９７９年、蜷川虎三が京都府知事だったのが１９５０年から１９７８年、黒田了一が大阪府知事だったのは１９７１年から１９７９年までと、革新系の知事が同時期にこれらの都市の実権を握っていた。

不法に金が手に入る〝白手帳〟

――白手帳は、仕事しなくても印紙を貼れば金もらえるってやつですよね？

「裏があるわけや。雨が降ったらゼニ入らん。それ入るようにしたのが、当時の府知事やった黒田了一や。

２０００円から始まったのが４０００円に。額面通りにね。２日のうちに１回。

14日働いて、２月は28日やし、８月とかやったら31日あるやん。

印紙を貼らないとあかんのが、多くてもあかんし少なくてもあかん。貼りすぎてもあかん。かつかつでいくのが一番ええ。最後は1日7000円以上までいったんかな、そのシールの偽造をしとったのが、ここらを仕切っていた極道や。シールは偽造して金貸しもして結構いい儲けになったとちゃうんかな」

——いまはなくなりましたが、西成に本部を構えていた組織ですよね。

「そうや。その白手帳で極道から借金をして。それをどういうたらええか。利子が大きんやが誰もそんなことを考えへんねん、日銭が入ればええと。元々入らない金やからええと思うやろ。

金利も1割2割ならええんやが、それにプラスして極道の足代が取られるんや。借金をするには手帳とキャッシュカードがいるわけや。手帳には印紙を貼るわけやから手元に持って無いとあかん、必要やろ。借金するには極道にカードを預けるんや。ゼニおろすには、そのキャッシュカードがいるやん。それで取りに行くわけや。金をおろすときに。それをみんなが白手帳いうんやな」

白手帳の正式な名称は〝日雇労働被保険者手帳〟という。

これらを使い不正な方法で金銭を得る方法が過去に流行っていた。

しかし、雇用保険法第四十三条一項で守られている正当な権利のために廃止は絶対にできない。

普通給付や特例給付などがあるが、かずやんが話しているのは普通給付のことであろう。

――利子は10日でどれくらいあるんですか？

「うーん、毎日のことやからなあ。日雇いやから。飛ぶやつもおるわな。10日という単位ちゃうな。アケイチと言って次の日には倍になってたりな、そんなもんや。

それに行政はモチ代（小遣い）もくれとったな、当時は白手帳見せたら。そんなのも金利で吹き飛んだな、みんなそうやで」

――モチ代は誰がくれるんですか？

「自治体や。それをしたんが府知事の黒田了一ちゃうかな。そんな白手帳で金をくれるのが、当時は3ヶ所あったんやな。兵庫では出屋敷（兵庫県尼崎市）、大阪では西成、堺（大阪府堺市）か」

――白手帳を見せるということは、日雇いの仕事を斡旋する場所があったんですか？

「そうや。他のとこは人数が少ないんや。西成は正月なんか何万人もおったらしいわ。番号をずーっと行政が追ってたら十何万人もいたんやて。

普段いない奴まで並んで金を貰うようになって、あかんようになったんや。あかんようになって、金貰えへんやったら恨んで暴れるわな。

それで何度も暴動が起こったんや。

結局みんな身勝手からの暴動やからな。暴れりゃなんとかなる思ってな。実際いまも警察や行政が恐れているのは暴動や。だからセンターの周りも強権的に人を排除せんやろ。暴動起こすからやて」

暴動の話は参加した色々な人間から聞いた。また、それらの話が延々と続いたが、暴動の話を書籍にしているわけではないので以後は割愛して本題に戻す。

このまま西成で死んでいく

——かずやんは、身内はいないんですか？

「親戚はおるけど連絡は切れたな。シャブやっとるって親類縁者に回っとるがな。だから、この歳になっても帰るに帰れない。親父が69で死んだんや。今の俺の歳や。

俺もアホやねん。愛知県警行こうとしたこともあってな。中学の時に名古屋行ってたんや。ポリとよく遊んでいて拳銃持たせてくれたんや。38口径のナンブの拳銃や。それで調子に乗ったポリがな、1回だけ試験受けてくれってなったんや。

いや俺は水商売だからって断ったんやけど、顔を立ててくれ、受けるだけでホンマにいいって。こう見えても一次は通ったんやで。二次試験は落ちたんや、難しいから。

あれでポリも新人募集のノルマがあんねん。一番難しいのは作文や。絶対左翼のこと書いてくれとな。あのとき左翼は敵と思っていた時代や、俺はそんな政治的なことは知らんから落ちたけどな」

――かずやんは、このまま西成で死んでいくんですか。

「ここで死ぬやろな、ここでええねん。もうええわ。帰るに帰られへん。中途半端でな、悪いことはいっちょまえや。そんなもんや。間違いなしや。鉄板や。

〝あっ、これが死ぬことかな〟と思ったことは何回かあったよ。トイレ入ったら足が動かんし、呼んでくれ言うわけにもいかんし、助けてくれ言われへん。

男やろ、最後の一言が大事やんか。最後の言葉が〝助けてくれ〟は口が裂けても言わへん。それでいままでの人生が終わると思ったら絶対に言えへん」

――かずやんはカタギなのに男の美学持ってますもんね。

「全てにおいて中途半端や（笑）。

俺があかんかったのは女が好きやったからや。だから最後はこうなる。女は好きやったなあ。今はもう……もうええか、こんな話付き合ってもらってもしゃぁないやろ」

最後にかずやんは自身の話になり口をつぐんだ。

過去を詮索してはいけないという西成の教えを破り出来る限りの過去を話してくれた。

ここまでが精一杯だった。

かずやんが表舞台に出るのは、これが最初で最後であろう。言うなれば、この取材で答えた最後の言葉がかずやんの遺言であろう。

いつまでも男気を見せて長生きをしてもらいたい人間のひとりだ。

「西成に中華街を!」林さんの苦悩

——株式会社盛龍・代表　林伝竜さん

世界を旅行した人は気付いているだろうが、世界の大都市に行くと必ず見掛けるのは中華街だ。そこには、現地に溶け込んで必死に働いている中国人や中華系の人間が多く働き住んでいる。

反対に、そこまで世界に根付いているのか、という驚きを覚えることもある。

日本には横浜、神戸、長崎に中華街がある。それぞれの歴史的背景や成り立ちは違うが横浜中華街、神戸南京町、そして規模は劣るが長崎新地中華街という地名で新華僑や老華僑が日本に溶け込み、一大チャイナタウンを築いているのだ。

この項で取り上げるのは、西成区山王を中心とした一角に大阪中華街を作ろうという構想を持っている「一般社団法人大阪華商会・会長」、「株式会社盛龍・代表取締役」を務める林伝竜氏だ。

大阪では色々なメディアに露出して、中華街構想を語っていることで有名な人物である。日本語はたどたどしいが、筆者の質問に真摯に向き合い真剣かつ丁寧に答えてくれた。

林さんが日本に来た理由

――林さんは日本に来てどれくらいですか？

「25年です」

――出身は？

「中国の福建省です」

この情報は既に知っていた。実は西成に点在する中国系居酒屋に何軒も入り、西成の中国系居酒屋のことを下調べしていたのだ。

そこで働く女の子は林社長を慕う人間が多く、その8割が福建省の出身者ということは、彼女たちの会話から分かっていた。

――日本に来た目的は、やはり不動産の仕事のためですか？

「最初はちがうんです。普通の建設業。最初に来たのは、だいたい1997年ごろ。阪神大震災の1、2年あとくらい。大変だった」

――復興の仕事で来られたんですか？

「そう、仕事」

本人が語っている通り、林さんは当初、復興の仕事で人手が足りないときに中国の福建省から日本へ渡ってきたのだ。

ちょうどその頃の中国では、香港の返還などによって目まぐるしく日常が変わっていた。

有名な、〝蛇頭(じゃとう)〟という密航を手引きするブローカー集団が、日本に渡る福建省などの中国人の集団密航を手引きしていた。

偶然の一致か、林さんが日本に来たという1997年は摘発件数73件という最も多い検挙数を誇った年だ。そのくらい日本に憧れ、無理をしてでも渡る人間が多かった。

検挙数はごく一部の数字で、実際にはもっと多くの人間が日本に密航することに成功し、反対に失敗して海に落ちた人間も多かったであろう。

——一代で財を築かれたというか、会社を大きくされましたね。

「そう。毎日仕事したからね。日本語もわからないし」

——この西成区の山王とかでお店を買い取っていますね。

「10年くらい前から。最初は飲食店。日本きて2年くらいは建設業やって。そのあと飲食、ラーメンやって。中華屋やって。今から12、3年前。それから不動産」

林さんが地盤としている西成区山王に、盛龍の大きな看板がある。不動産の会社は道を隔てた真横の太子にあるが、同じ商店街の中にある。商店街は動物園前一番街商店街だ。

——この地域で空き店舗がでると、中国人の方に売っているんですか？　それとも林さんが権利を買い取っている？

「最初は商店街の所、日本人が商売やめて閉まるでしょ。歳いって違う仕事。けっこう多

動物園前一番街商店街の入り口

いですよ、店やめて空いたところ買い取ってる」

――シャッター商店街になっていますもんね。

「僕最初そのときは中華ね。その居酒屋やった。1軒目やったら、まあまあうまくいって」

林さんは初めは中国料理の店をやったと話す。居酒屋の〝盛龍〟も、この商店街のど真ん中にある。

――当たったんですか？

「まあ頑張っていけるぞと、1軒目と2軒目やって。1軒目は賃貸。2軒目は売り物件を考えた。家賃払わなくても、上に自分も住める。それから1軒1軒だんだん増えていって。今何軒あるかな」

西成の山王を中心に太子・萩之茶屋などを歩くと中国

人居酒屋の数は50店舗あるであろう。しかも、その数は西成に行くと新たな店舗がオープンして増えているのだ。

――林さん自体は何軒やられているんですか？

「そんなに大きくないから。でもだいたい1軒は10坪から20坪くらい。家族とか身内の関係は合わせて20軒くらい」

――自分が聞いた話では、林さんが最初に盛龍をやられていたと。

「盛龍は居酒屋。居酒屋盛龍ですね、そこが居酒屋のスタート」

――実は先月飲みに行ったんです。

「ありがとうございます（笑）」

この周辺に住んでいる人間は娯楽が少ない。例えば若い女の子と話したくなっても、実際に近くにいないので話すことは不可能だ。

人恋しくなってミナミなどに出ると数万円を取られることがあるので怖くて近寄れない。それならば、接客態度も良く、日本語はたどたどしいが、カラオケも歌えて値段も安い中国人居酒屋が流行るのは当然だ。

みんながお手本にする林さんの経営術

——山王に来て、店をやっているのが中国人の居酒屋しかあそこら無いじゃないですか。飲んでいると色々な店が流行っていますね。お客さん満席に近いですよね？

「最初外国人を狙っていた。中国人少ない。民泊前。今のお客さんはだいたい日本人。民泊できてから外国人はこの地域に入っていますよ」

林さんは、インバウンドで日本に訪れる、中国人を中心とした外国人をターゲットにしていたのだ。

この地域はインバウンドを狙って改装したドヤなども数多くある。

しかし、新型コロナウイルスの蔓延で計画は頓挫している。

——華商会（はな）ありますよね。あの上は民泊ですね。他にも、何軒か民泊やられているんですか？

「僕は自分でしない。人に貸しているの。不動産屋が入っているこのマンション、ここも賃貸」

——始めは中国人の居酒屋は林さんがやられて、そのあとはグループでやられているんですか？

「グループじゃない。自分はひとつやって、あとふたつ。僕ふたつだけやって、そのあと従業員雇って、頑張って仕事して。給料もちゃんと払っている。そこまで儲かるかは言えないけど、生活はできます。

店とか人紹介して、〝次やってやって〟と。従業員か友達か、知っている人。連絡して、店やるかやらないか1軒1軒聞いて」

――ということは独立をされたり、独立をする友達とかの手助けをするという形で？

「そう。最初はリフォームしてキチンと居酒屋をできる形を作って貸します」

――何軒かお店行ったんですけど店のつくりが間仕切りとかして、一緒ですよね？

「最初、こんな感じ。僕をみんなが真似をしている」

中国人居酒屋の作りがどこに行ってもメニュー以外同じだったのは、全て盛龍の林さんの真似をして作っているからだった。

それなら同じ作りなのも納得ができる。

――ということは、盛龍不動産がコロナ対策で間仕切りを作れとか、内装はこうしろって指導しているわけじゃないんですね。

「僕は20軒だけ。あとはみんな真似てるの。こういう仕事ある、家賃とか仕事はこうだ、

商店街では、至るところで「盛龍」の文字を目にする。

居酒屋はこうやるんだ、とみんなに勧めるの」

――中国の方がやっている居酒屋ができたときって、最初商店街も揉めたじゃないですか。ゴミ問題、カラオケの騒音問題。そういうのってクリアされたんですか？

「うちは関係ないですね。最初カラオケうるさいって言ってきただけで。法律を守って夜11時までだったし。10時には閉めて音量小さくしたりしている。

役所には説明して、うちは全部守っています。自分やらないとき、貸しているときは最初に契約するとき説明する。日本の法律はこうだから守ってくださいと。

でも、やる方、やらない方色々。普通は守りますけどね」

――今は商店街と上手くやっていますよね。

「商店街の人は少しだけうるさい。言えないけど、商店会長とかは店がここにあるのはいいこと、当たり前のこと。昔は全部閉まっていたけど、今は店があって人もいる」

動物園前商店街は一番街とか二番街に分かれていて、色々な古い店や個性的な店が軒を連ねている。

当然アーケードもあるが、雨漏りなどの劣化も激しい。

――林さんがやられてないところも含めると、この周囲に50軒くらいあるじゃないですか？

「もっとかもしれない」

――パッと夜歩いただけでも4、50軒はありますよね？

「100軒はあるかもしれないね。山王は30軒くらいかな。萩之茶屋など合わせると、もっとありますね。僕がやっているのは20軒。

最初7年前、うるさいとかゴミ捨てるとか、そんなことはないですよ。ゴミは絶対、店を契約する、ゴミは置いとく。

でも酔っぱらった人がゴミを投げるとか、そういうのが新聞やニュース出ました。でも本当のことじゃないですよ。見えないところから見たら、みんな商店街やっている清掃ゴミ屋さんと契約しています」

――家庭ゴミではなく、ちゃんとした業者さんと契約しているんですね。

「月、4000〜5000円。そういうのをちゃんとやらないと。みんなしっかりやっています」

商店街の悪いイメージを払拭したい

――いま、この山王チャイナタウンという話が進んでいないということをおっしゃっていましたが。

「2年前くらい。近所の不動産の関係みんなきて、最初ここ西成区はイメージ悪い。ここ商店街、道路を渡った商店街は全然違う。むこうは一番怖い。

この商店街も昔、10年前は道で寝ている人多くいたけど今は全然いない。西成のイメージって三角公園とかでしょ」

――西成という地名で全部考えるからそうなってしまいますよね。

「みなさん酒飲むときは、ここはそんな悪くないと判断する」

――そうですよね、全然悪いイメージないです。

「ここ大阪の中で交通は一番便利。ミナミ行くにも関空行くにもぜんぶ1本。高速道路もすぐ入れる。通天閣もある。天王寺もひとつ道こえたら阿倍野区だし。

そういうことも僕たち考えて、ぜんぜん悪いとこじゃない。この商店街がなぜ人こないのかがわからなかった。

国道43号越えてからこっち、なぜお客さん入らない？　おかしいと思った。日本人は昔のイメージがあるから」

――そうですね。暴動とか労働者が酒飲んで寝ているとか、怖いというイメージがあるんでしょうね。

「ここ噂では〝ヤクザの道〟って言われている。そんなん今ヤクザって全然いないし。僕も付き合いいないし」

――神戸に小さいチャイナタウンあるじゃないですか。

「横浜と長崎と。行ったことありますよ」

――ああいう街をイメージされているんですか？

「うちの最初の考えでは、いまの西成区、お客さん少ない。43号越えてから通天閣はいい、観光客多い。ここはお客さん少ない。中華街作っていい街にしたい。

でも反対の人いた。〝そんなのを作ったら中国の街になる〟と。でも街が盛り上がれば国はもちろん税金が入るでしょ、僕は仕事した分だけ。反対の声出ています。商店街の会長。知り合いの人。何人か会長。酒とかコーヒー飲んで1人1人話すと反対しない。みんな中華街欲しいけど何あるかわからない。怖がっている」

——既存の建物を壊そうというのは反対されると思うんです。権利関係あるので。

「そんなんは無いですよ。そんなん作れない。例えば神戸や横浜。門だけ作って中は酒屋。うちの希望は居酒屋半分閉めて中華料理屋を何軒かいれる。アーケード綺麗につくってお客さん来やすくする」

つまり林さんの説明は、中華街にあるような大きな門を山王の入り口に作り、中を観客が自由に歩けるような街づくりをしたいのだ。

しかし、それには前述しているように雨漏りのするアーケードの補修や古くなった商店街を全体的に活性化するなどの莫大な資金投資が必要とされる。

——中華街のような大きい門を建てて中に中華料理をやるとか雑貨やるとか、いいと思うんですよ。

「神戸や横浜はバスで回って中華料理食べたいとかお客さんいるでしょ。同じのを作りたい。でも今年コロナだから。コロナが終わったら進めていく。そんな感じ」

——コロナの影響は受けていますよね？

「普通はね。でも盛龍の人受けてない（笑）」

林さんのチャイナタウン構想

――中華街を作るのに何年くらいかかるという構想なんですか？

「去年の2月に発表した。25年万博まで何とか作りたい」

大阪は、２０２５年に万国博覧会を誘致することに成功した。大阪市此花区（このはな）をメイン会場にした国際博覧会だ。略称は〝大阪・関西万博〟である。

――実現できそうですか？

「日本の政治も変わってきて。大阪都になるかもしれない。どこまでいけるか分からない。去年2月発表するときは大阪市長と、大阪府も反対じゃない。彼らはここの開発は進んでほしいと思っている」

――西成は負のイメージがあるので、浄化作戦というのをやって西成を綺麗にしようってみんな動き出したじゃないですか。だから林さんが動き出すのは賛成だと思いますよ。

「でも地元は動かない。だから話を進めていきたい」

ここの商店街で小さな商店を経営する人間は、林さんの考えに全面的には賛成していない。

「盛龍さんがアーケードの工事にお金を出したり、街をきれいにするのは賛成するけど、ワシらの店も何かしらの工事をせんといかんだろ、そんな金はあらへん」と、資金難を訴えている。

――地元と喧嘩していいことないですもんね。

「喧嘩はないけど。さっき言ったけど、ゴミやカラオケうるさい。カラオケは認めますけど（笑）。ゴミは全然わからない。反対言ってくる人はいるかもしれないけど」

――何かやるときに必ず反対する人はいますからね。ここらへんの地権者もいますから、残したい人と新しくしたい人はいますよね。でも人が来たほうが街は盛上がりますから、全体的にはいいことですよね。

「ここら辺の人はみんな友達、僕らはその感じでいきたい。アーケードは何十年もボロボロ。雨ふったら雨漏り。直して欲しい。門つくるよりアーケード直してほしい。危ないから。儲かるわけじゃない、人いれたいから。門が綺麗でもアーケードが汚いと人はこない」

――莫大なお金がかかりそうですね。

「門だけでも何千万とかかりますね。門だけじゃなく、商店街自体。アーケード作らないと何も変わらない」

――商店街ってこの通りだけじゃなく何本もありますもんね。

「そう。けっこう長いですよ。こっちは通天閣、こっちは飛田」

――全部綺麗にされるつもりなんですか？

「第1期の計画ではこの周辺だけです」

つまりそれは盛龍がある周辺と商店街の入り口だけなのであろう。

――あ、計画はもうあるんですね？

「例えば動物園前駅からここらへんまで。飛田のところと」

――飛田の飲食組合は賛成してるんですか？

「賛成してない」

――あの組合けっこう強いじゃないですか。

「商売はあまり関係ないから、向こうとはあまり付き合いはしてない。商店街も違うから。ここで最初集まるとき、むこうの会長も来ていましたけどね」

――林さんはこの西成をどう変えていきたいですか？

「旅行の中心にしたい。今はコロナでダメだけど、去年なんかは民泊もけっこう入ってお客さんもいた。バックパッカーなどが旅行の中心になる場所にしたい」

――ホテルができてもクローズとか、今けっこうあるじゃないですか。

「もう最近全然旅行の人いないから。でも去年からけっこう変わったから。ボロボロの家を建て替えたりリフォームしたり。民泊多くの施設がやっています」

――計画的には、西成が変わって資産価値も上がるわけじゃないですか。だから喜ばしいことですよね。

「でもほとんど地元はダメ。ここらへんの土地は99％日本人の物件です。観光客が増えてきたら物件の価値が上がる。商店街も綺麗になる。みんな悪口言っても、商店街綺麗になるから。旅行の中心、やっていきたい」

――実際新大阪でも関空でも梅田もミナミも電車で1本ですし。問題はイメージだけ。でもおっしゃるとおり通天閣には人集まっていますもんね。

「通天閣から国道43号越えてすぐこっちは人こない。みんなで協力しないと進まない。西成区も困っていると思う、みんな口だけ。そこまで僕言えないけど。僕の気持ちはここを綺麗にしたい」

――旅行の中心地としての商店街。その中のひとつとしての、チャイナタウン構想なわけですか？

「そう。チャイナタウンだけを作るんじゃなくてホテルとか、いろんなものを作りたい」

――ドヤとホテルの中間のようなもの作っているじゃないですか。ああいうものではなくて？

「民泊もあるし。うーん、土地が安いでしょ。普通に住むとか中心より安い。ナンバ行くと座っただけで数千円。でもここは1杯500円。ここらへんは安い。土地も安い」

時間の限り盛龍の林社長には自身の西成にかける思いを話してもらった。日本に長く住んでいる林社長の西成を変えるという気持ちは本物であろう。

だが、何かをやろうとすると必ず反対する勢力はいるのだ。

約600店舗の横浜中華街、約60店舗の神戸南京街、そして約40店舗の長崎新地中華街。それらに比べて大阪の山王にある林さんやその関係の店舗の数は遜色ないが、歴史的背景が全く違うのだ。

大阪に中華学校という中国系の学校はあるが、中華文化は浸透していないと強く感じる。一方で歴史的背景もあり、韓国系の文化は浸透しているのだ。

2025年に予定され、海外から多くの人が集まると予想される大阪万博。その頃には綺麗に生まれ変わって、一部は中華街となった西成の姿を見ることができるのであろうか。

林社長の手腕に期待したい。

元売人による、薬物更生支援団体

――日本達磨塾・主宰　木佐貫真照さん

西成といえば覚醒剤と、その道を通った人間なら誰しもが答えるほど、西成と覚醒剤は表裏一体である。

なぜ、西成が覚醒剤を24時間買えるような街になったのか。

それは鉄火場と呼ばれる博打が夜通し行われている常設の博打場が数多くあったのと、労働者が朝早くから働き、働く時間の前に覚醒剤を体内に入れて元気を付けていったのも大きな理由であろう。

映画では、博打をする場所の別部屋に覚醒剤が山積みになっている描写をよく目にする。実際はそんな部屋は無いが、覚醒剤が用意されていたのは事実である。それは西成に博打場を持っていたある人間が過去に筆者に語ったからだ。

この項で取り上げるのは、西成に在住し〝シャブ屋〟としての経験から本を何冊も上梓し、現在は薬物更生支援〝日本達磨塾(だるまじゅく)〟を主宰している木佐貫真照(きさぬきまさあき)氏である。

ヤクザをやるつもりで大阪に出てきた

――今まで本は何冊出されていますか?

「6冊とコミックを2冊。計8冊です」
最近では、漫画配信サイトである〝めちゃコミック〟で、過去に発売された『実録シャブ屋』の漫画版『実録シャブ屋　覚醒剤の虜になったオトコとオンナ』を配信し、大きな話題となっている。

——経歴を教えてもらえますか？

「小学校卒業。中学校は2年まで。初等佐世保少年院、福岡中等少年院、佐賀少年刑務所、それで20歳で鹿児島刑務所。それから立て続けに計12回入っています」

——全部シャブですか？

「いや、最初は恐喝、窃盗。それから傷害、暴行とあって、大阪に来てからは覚醒剤ばっかりです」

——シャブ屋として有名じゃないですか。そのきっかけは？

「ワシは鹿児島でヤクザしとって、22で大阪に来たんですよ。最初からヤクザするつもりで来ましたからね。その中で自分がどうしたら一番生き残れるかということを考えた時に、普通の人ならミナミなどに大きな兄貴分つくったりするんでしょうけど、ワシはせえへんかったんです。尼崎に関西護国団という組があって、そこの谷田哲雄と私が知り合って。それが縁で組には属さず、兄・弟の関係に。俗にいう出先の舎弟となりました」

——それから山口組系の太田興業に移籍したんですね？

「ワシが舎弟になった谷田という親分と太田の親分が兄弟分だったんですよ。それで揉めた時に谷田が太田に行くというときに護国団は手を出すなちゅうことで、それで谷田は相談役で行ったんですよ」

——太田興業では何年くらいヤクザやったんですか？

「短いですよ。すぐ舎弟になりましたからね。親分自体は昔から知っていたんですよ。頭で舎弟やっとったから。舎弟で推薦されたんですわ。太田の枝の若い衆から舎弟になることはまずなかったですから。そんな聞かないですわ」

——それから懲役に行くわけですよね。カタギになったきっかけっていうのは？

「『実録シャブ屋』という本を書いたということでね。私が50人くらい人を増やしたし、本も出したし名前も売れて。

だけどそれで破門されたんですよ。山口組はマスコミに出たらいかんという名目で。いまはけっこう出てるやないですか」

——さすがに現役は匿名ですけど、ヤクザを辞めた人間はけっこう出ていますよね。

「私は本名で出ていましたからね。辞めてそれから栃木に行ったんですよ。破門になったチラシも回っているし、もうヤクザではないということで仮釈はもらえていたんでね。

栃木県に別れた女房がいたので、彼女が身元引き受け人になってくれて。それで栃木に行きました」

――それからカタギですか。

「ヤクザしましたよ。どこの街でもしたらあかん、だけど最後は自ら看板下して所払いという形で栃木は出ましたね」

――そのときの木佐貫さんの肩書きは何なんですか。太田興業じゃないですよね？

「隠しとったんです。谷田が出身母体でしょ。太田興業を破門になったあとは谷田哲雄の代貸しやったかな。相談役という名目で関西護国団にはおったんです。会費をもらうために入れとったんです、ワシを。

条件は〝組解散せよ〟と。それはできない。解散してカタギになったけど、でも〝この街は出ていかない〟と。それで3年居座ったんです。子供も嫁もおるのになんで出て行かなあかんのやって。条件なんか飲まれへんと。

相手が〝問題になりますよ〟と言っても、いや問題にしろと。オレ殺したらお前ら10年20年行くぞと。行けばええやんかって。そしたら向こうの地元の組織の代行が来て、〝ここで住むなら住んでもけっこうです。そのかわり静かに住んでください〟と。それで3年栃木には居座りましたね」

――そこは最後の意地を見せたんですね。

「そのあと捕まったんです。刑務所に5年。それでもう完全に大阪に戻ろうと。それで考えたのがいまの達磨塾なんです」

シャブを一掃できるとは思っていない

――それで西成で覚醒剤の更生支援とか活動しよう、と。

「ほんまはね、ワシ西成に住んだ事ないんですよ。大阪に出て半年だけ。事務所は西成の脇にある浪速区の大国町に事務所を出して。あとは住んでないけど稼げるとこが西成。ここで集金してミナミやキタで飲んどった。

だから西成は知り合いはおるけど、ご飯を食べたり飲んだりはないです。西成の人には悪いけど、食べれるもんじゃない、と思っていましたから。

いまは違いまっせ、西成はいい街やと思ってます。西成の人間には、住んではいないけど毎日いるから、ここの人間だと思っていると言われました。どうせ達磨塾やるなら大阪で一番覚醒剤の多い西成でやろう、そう思ったんです」

――そのときはまだ覚醒剤止めてなかったんですか？

「キッパリ止めていましたよ」

――では、なぜ覚醒剤の多い場所にいこうと思ったんですか？

「多いほうが止めさせるという活動にインパクトあるじゃないですか。知り合いも多いし、もう止めやと」

――いま達磨塾は何人くらいいるんですか？

「50人くらいです。いまは組織改編中ですね、立て直し。塾は会費取ってやっていたんですけど。全国にあったんですけど、インターネットで大騒ぎされたでしょ。ちょっと待ってと。うちの幹部も何人かはずしたし。本も顔出しして少し大きくなりすぎたからもう少しきちんとした形でやろうと」

――西成から覚醒剤をなくそうというのは木佐貫さんのテーマなんでしょうか？

「ちゃいます」

即答で否定の返事が返ってきたが、果たして木佐貫さんの行きつくテーマはどこにあるのだろうか。

――いまの達磨塾のテーマはなんですか？

「西成からシャブを一掃することはできません。無理。自分が生きてきた道やから、どうやれば金になるかは知っています。

だからそこまでは言わへんのやけど、ただワシのスローガンはやりたい人はやったらええ。ただホンマに止めたい人のためにワシがあれになっとるだけで。〝ワシと一緒に人間やりなおそう〟と。それがテーマやから。だからワシはテレビに出てもなんでも、ワシにヤクザの話はふらんといてくれと。否定はできへんから」

木佐貫さんをメディアで見かけることは多いが、確かに覚醒剤の話しかしていない。自分が生き抜いてきたヤクザについて一切語らないのは、自身の誇りもあるからであろう。

覚醒剤以外の〝楽しみ〟もあると伝えたい

——木佐貫さん自身は、シャブを何年くらいやってないですか？

「もうホンマに興味無いですわ、だけどね、止められんからね、なかなか。ワシが知っている親分も今でもやっているからね。そう簡単に止められたら覚醒剤の値打ちもなくなる。どんだけいいもんか、というのは誰よりワシが知っとる」

——少し前にテレビに出演してたじゃないですか。ジャニーズ引き連れて、〝あいつも売り子や〟とか。ああいう売り子の人間も止めさせようとは思ってないんですか？

「そこまでは考えていませんよ。売っとる人に覚醒剤を売るのをやめろとは言えへん。でもいつかは捕まるぞ、と。それだけは言いたい。刑務所行ったら時間がもったいない。だけどそれ以上は言えませんよ。自分がやっとった立場やから。覚醒剤がええ悪いはもちろん分かっとる。これだけ金になるとか、すべて分かっとる。いまでも来ますよ、〝ありませんか？〟って」

——オレが止められたんだから、ついて来れる人間はみんな止めようよ、と。そういう考え方ですか。

「そんな大層なことは考えていませんよ。覚醒剤の楽しさを知っている人間に、ほかの楽しさもあるよ、ということを教えたい、そう思っているんですよ。

酒飲んでいたら楽しいやないですか。覚醒剤は女と博打ばかり。刑務所で人生を送るよりも、いいじゃないですか。生活保護もらったとしてもね。そういうことを教えたい。

覚醒剤をやっていいことはひとつもありませんもん。みんなに言うもん、友達は選べよって。

それにやっと気づきましたね。知り合いから連絡あっても何でワシに覚醒剤のことを聞くんやって。それで終わりですよ。もうワシは覚醒剤に絡んだ人に会いたくもないんで、電話せんとってくれと。会いたい人とだけ会えればいいんじゃないですか。

みんな心が寂しいから、覚醒剤売っていると分かっていても行ってしまうんですね。ちょっと考える時間をあければ、ほかにもいい人がたくさんおる。そういうことを伝えたい運動なんですよね」

——確かに巷では芸能界も含め薬物は蔓延していますよね。

「芸能の人がなんぼでもやっているのも分かりますよ。止められんからね。リスクがワシらとは桁違いやけどね。私らは捕まっても懲役に何年か行くだけやけど、あの人らは人生終わりですもんね。何年も芸能活動を自粛して活動できませんもんね。3年も芸能活動できへんかったら、月収何千万もある人がゼロになる。リスクが大きすぎる。

達磨塾はだからそういう大きいことは考えてないんですよ。自分の人生をどうするか、ということを考えるのが基本ですよ。ワシがやめた方がええで、というのは達磨塾という覚醒剤をやめようという会をやっているから理由があることでね。そういう理由付けのためにやっているんですよ。夢は、いつになるかわかりませんけど居酒屋をしたいと」

木佐貫さんが語る〝理想〟

——西成で?

「そうです。みんな刑務所でワシのことを知っているから。手紙も来るんですよ刑務所から。ここから出たら達磨塾いれてくださいと。あと2年、3年で出ますからと。でもそこまでワシ生きてないもん」

――2年後には生きてないつもりでいるんですか？

「もう長生きはできないもん。よわってくし。もう74ですよ。だから懲役から帰ってきたら、おい達磨塾やったらみんな止めとるみたいやな。と。安く酒が飲めるでと、そこに来たらええと思ってます。そこの中で覚醒剤は止めた方がええで、という客がいてそういう話になればええなんて思っとるんです」

――それはいい考えですね。

「そうでしょ。みてくださいよ、もう携帯にもほとんど電話かかってきません。昔は覚醒剤の注文でひっきりなし。だから今は付き合ってええ人を選別しとるんですよ。ええ人間だけワシのスタッフになってくれたら絶対ええ。居酒屋達磨は絶対やります、どないしても必ずやります」

――将来的に達磨塾をどうしたいんですか？

「意地ですよ、ワシの意地。ヤクザをやめて何をしたいかいうたら、こういう覚醒剤を止めたいという人を支援した活動をしたい。それだけで。施設は作らないのかという人もいるんですけどウチはダルクと違うんで、と。生活保護の申請をさせて住むとこ見つけてあげてお金は自分で管理してください。それがワシの理想やから。

お金まで預かって管理するのはしません。やりたいんやったら、やったらええやん、でも捕まったらバカらしいよ、って。リスクは自分で背負ってよ、と。

それが分かるまでは何回も失敗しますね。だから普通は七転び八起きだけど、うちは九回転んで十回目で起きなさいよと言うてます。七転びじゃ足りへんやろって。そのかわり十一は無いぞって」

——なぜＮＰＯにしないんですか？

「あえてしないんです。足かせになるじゃないですか。そんなんはいらんのですよ。全国に支部があったけど、それももう会費はもらってないし。8月を目処に新生達磨塾を作ろうかと思っています。覚醒剤をやるんならやってもええで、でも最期は自分に降りかかってくるからな、と。

だけど覚醒剤を否定はしません。覚醒剤やっている人を否定すると、自分が昔それでメシを食うてたことまで否定することになりますからね。だからテレビに出てもヤクザの話は腐るほどあって。自分でも分かっているけど話す気はありません。今一生懸命その道に邁進している人に水をかけることになりますからね。

正直腹の中では、ヤクザなんてなんの意味もない生き方だと思っています。自分がそういう生き方をしてきたわけなんですけど、だけどこうやって名前も売れて、ワシのとこに群がってきた人も何百人もいたわけでね。その人らの人生を否定してもあかんと思うからね、だからヤクザのことを聞きたいならテレビには出ないと。そのかわり覚醒剤のことなら一から十まで全部喋ってあげるから、ということです。

親分も子分もやってきましたけど、それは言う立場やないってことですね。ヤクザなんてね、泥かぶってきとるんですよ。

元々ヤクザなんてあめ玉ひとつ盗むことから始まっているんですよ。親分になってあめ玉盗んだらニュースになりますよね。だからしないだけでね」

——木佐貫さんが主宰する達磨塾は何年目ですか？

「達磨塾は5年目です」

——これからも西成で頑張ってください。

「もうワシの経験を生かして人をまともな考えにさせるしかないんでね、頑張りますわ」

木佐貫さんの名前は現役当時売れていた。

いや、引退してもその名前は残っていた。

西成で〝木佐貫ネタ〟というと品質がいい、という評判で誰もが欲しがったほどであった。その名前は全国区であり、関東でも通じるほどであった。木佐貫さんの器量は誰しもが認め、昭和のヤクザ映画の名作と言われた映画『シャブ極道』で役所広司演じた主役が、今回話を聞いた木佐貫真照氏である。

かつては大物密売人であった木佐貫さんが〝覚醒剤を止めろ〟というのは説得力がある。ダルクなどで覚醒剤を止めることができなかった人間は一度木佐貫さんの元を訪れ、酒を飲みながら人生相談をするのもいいだろう。

ダルクなどを否定する気は毛頭ないが、そこでは体験できないことが必ずあるはずである。

木佐貫さんはそれらを受け入れる器量がある男だと筆者は思っている。

飛田新地に生きた女性が語る半生

――智子さん（仮名）

大阪府には、条例でソープランドがない。代わりに出張風俗が盛んであり、またその他にこの地域独特の自由恋愛を〝売り〟にした料亭システムを使っている〝新地〟が西成の飛田新地を中心に数ヶ所存在する。主な場所は飛田、今里、信太山、松島、滝井などが五大新地としてあり、その他大阪周辺にはいくつもの新地が存在する。

分かりやすく書けば、昔は全国にあった「赤線」「青線」「遊郭」の名残である。

この項で紹介するのは、西成にある飛田新地で長く働き、自分の力で家を建て、今では悠々自適な生活を送っている智子さんだ。この項だけは今までとは違い、智子さんの個性を前面に押し出し、彼女の今までの生き方などを語ってもらった。

水商売の経験はゼロだった

――今おいくつですか

「55です。９月２日に56になります」

長年接客業をしていたためか、元の容姿が整っているのか、とてもそんな年齢を感じさせない。

――何年働いていたんですか？

「30年くらいですね。隠れ店もやっていたんで。自分が店のオーナーだっていうのを隠して働いていた時期もありました。というのは友達同士で妬みなどもあるので言わないようにして」

――どれくらい儲かったんですか？

「軽く億はいきましたけどね。税金納めてないんで、バレたらやばいから全然言ってないんですけどね」

――家も建てられたんですか？

「はい。マンションも買いましたし、30くらいの時に。不動産バブルだったんですよ。まだ娘が0歳だったから25〜26の時かな。その時に飛田に来たんです。最初は何のことか分かりませんよね。まだお腹に子供いる時に別れたんで、色々あって。生きていけませんよね、最初はクラブかなんかで面接に行こうと思ったんですけど。水商売が初めてだったんで」

――水商売の経験もなかったんですね。

「私のうちは土木の関係で。お金には困らない生活だったんです。でも父の倒産でどうしようかってなって。中3の時にこれはもう働こうと思ったんです。全日制に行こうと思ったんですね。でもやんちゃやっている時に、たまたま知らない先輩が看護師をされていて。かっこええなと思って、それで私も定時制にしようかって決心をするんですけど、でもやっぱり2つできるのかなって。勉強も仕事もやって疲れてだめだったらまずいなと思って、それで16の時にノーパン喫茶をするんですよ」

——ノーパン喫茶の走りですよね？

「そうなんです！ 京都で火が付いていて、私そん時九州にいたんですよ。有名な漫才師と同級生なんですよ。私は中学校もそんな行ってなくて。高校行き始めたのは47なんですよ」

ノーパン喫茶は1980年前後に京都で誕生したというのが定説になっている。

——今までどんな経歴を？

「16で私結婚するんですよ。私は卒業だけはしたいわって、一生懸命行って卒業だけさせてもらって。その時15から化粧品とか美容の仕事はしていたんですよね。16までの1年くらいまで。

その時、ある人に出会って、その人がノーパン喫茶のオーナーだったんですよ。でも私まだ16やねん、って。でも大丈夫いけるいけるって。なんぼくれんの？ って聞いたら時給3000円くらいで結構よくて。大阪ならもっと高いかもしれませんけど。そんでオーナーとできてしまって、まあ依怙贔屓もされるわけですよ。

女の子も私が全部連れてきて揃えて、そんな感じで3000万くらい稼いでね、16で。私って才能あるのかなって」

――その若さでそれくらい稼げれば十分あると思いますよ。

「人のふんどしで相撲取るのうまいのかなって。正直な話、その人の子供を知らずに産むんですよね。あとで判明するんですけど。

そのノーパン喫茶も妊娠したと同時につわりがひどくて辞めようかなと思ったんですけど。お腹が大きくなり始めた時に、ほかの男の子と同棲していたんですけど、どっちの子なんやろって。その子とは結婚したいとかそういう話はしてなかったんですけど、ある日〝お前妊娠したんちゃう〟って聞かれて。そうなのかなって思ってきて。産んでからだったんだけど、大丈夫あの人の子よ、と思いながら産むんですけど。私、産婆さんで産んでいるんですけど、血液検査がなかったんですよ。それでバレずに済んだんですよ。

翌年次男もできて、中絶しろって言われたんですけど結局産んで。いまになっては産んでよかったなって思うんですけど。なんかお互い違うものがあるんでしょうね。やたら毛嫌いしていたんですよ。

ある日15の時に仕事に行けって言ってて、その時に健康診断で血液検査ありますよね。

私の大阪の実家に妹とか弟とか、みんな集まって。私O型だと思っていたんですよね、そしたらA型だったんです。O型とB型しか生まれないはずなのに。それで顔面蒼白になって。子どもが、〝俺誰の子よ〟ってなって。〝私の子や、私の子やからな〟って。なんで私から生まれたのかと思うくらいみんな真面目でね。

娘が生まれた頃くらいに仕事せないかんなって、田舎の繁華街のクラブとかに仕事を探しに行きましたね」

飛田新地に足を踏み入れる

――その時はまだ地方にいたんですね。

「そうです。H風俗クラブっていう。キャバクラの走りですよね。そこでスカウトされて。お客さんについていたら、その人が飛田のオーナーだったんですよ。

〝自分さ、絶対俺、君いけると思うねん。うち来いへんか〟って言われたんですけど、いいですわ、やっとお客さんつき始めたとこなんでって、苦手なんでって断ったんです。でも、〝自分大阪なんやろ?〟って。〝はい〟って。〝こんなとこでええの? なんか未練あんの?〟って。確かにそう言われたら無いなって思って。オカンだけはいたんですけどね」

——それで大阪に戻ったんですか？

「ですね。〝じゃあ来たらええやん。ちょっと変わっとるけどな。1日多い子で15万くらい持って帰れる〞って。〝怪しい〜〞と思いました。そういうの疎いんで。服とかは、とか質問するじゃないですか。それはこっちにあると。靴は、と聞くとはかないからいらない。って。何なんだろう？　って思いますよね。ただ玄関に座っとくだけでいいんだと」

通りを歩く客に、店内からひっきりなしに声が掛かる。

——確かに顔見せとかで下に座っているだけですよね。

「ですね。1回見に行くかって言われたから行ったんですね。ああ、なんか情緒があって面白いところだなって。私が想像していた山みたいなとこで宿があって、おばちゃんがいて無理やりお金取るようなとこなんかな、そんなとこじゃ生活できへんな、と思っていろんなこと考えていたんで。そしたらいっぱい店があったんですよ。当時２００軒くらいあったんで、古いとこ合わせて。へーって。女の子が赤いライトに照らされて、何だろうここはって。稼げるのかなって思ったけど１回やってみようと。半年限定で。なまじっか悪い人じゃなさそうだし。それが思ったより稼げて」

――それは何年くらいの話ですか？

「平成元年です。バブルがまだ残っている時。最初はやり方が分からなかったんで。おばちゃんが交渉するんですよ。お客さんひとり1万円なんです。11人相手して11万ですよ。もうしんどくて、痛くて痛くて。自分がわからないから変な体位とかされるじゃないですか。これいい方なの？　って聞いたらお金稼いでるほうよ、って言うから。10万てなあって、最低30はいかんと合わないなって思って自分で考え出すんですよ。当時1万円20分だったのかな。よそは30分もありましたね。正月料金は20分1万５０００円とれるんですけど、それをやったんです。20分1万５０００円の料金システムを始めたのは私なんですよ」

自ら交渉していまの料金体系を築いた

――いまの料金体系は例外もありますが、ほとんどそうですよね。

「そうです。30分2万円も私です。当時は40分2万円最高だったんですけど、やってられるかと（笑）。

1時間5万というのも私らの店では作っていて。そこは私はあくどくなるんで。テクニックじゃないですか、お客さんを納得させる。私らの店だけかもしれないけど、って言い方をしている時代もあったんです。うちらの店もなんですけどね、グループ作って。

みんなえぐいんですよ。何百軒と飛田には店あるんですけど。家賃とかを溜めて最後は買い取るんですよ。全部ですよ。ほんまにえぐいグループなんですけど、１００億以上持ってる方なんで。私はよくしてもらっていたんですよ。最初いたとこから引き抜いてもらって。どんどん条件はよくなりますよね。取り分が料金の6割って女の子普通ないんですよ、多くても5割なんで。私は6割貰っていました」

――1日？

「1日っていうか、例えば20万だったら6割なんで12万ですね。普通の子は4割なんでですね」

8万なんですけど、その差額があるんですよ。多い時で月800万上げました。売り上げ

——そんな簡単に店は出せるものなんですか？

「出せる！　素人でも。今ほとんど素人が出しているから情緒がなくなってきたっていうか。道路あるじゃないですか。あれ半分から向こうにいたらお客さん呼んだらいかんっていう暗黙のルールがあるんですよ。それを今は関係なしに〝わーっ〟と呼び込みしはるから。時代は変わっていくのかなと思いましたけど」

——飛田に計30年ですか？

「実際は飛び飛びですけどね。うーん、30年くらいですね。あとは松島新地に友達がおったんで、店開けてお願いって言われて行ったことありますけど。あそこは新地というけど新地じゃないですよね、はっきり言って。まあ勉強になりましたけど」

——飛田に対しての印象は？

「でもまあ飛田は私にとって感謝しかないですね。家も建てたしマンションも買えましたし。車も車検受けたことないんですよ」

——それは3年で買い替えてた？

「そうです。それがステータスだったんで。旅行も好きなので、多いときは1年で12、3

回とか。いっとき韓国にはまって、ご飯だけを食べに行ったりしてました」

――最近は何で収入を得てるんですか？　家賃収入？

「投資とかかな、結構うまく回っているので」

――先ほど隠れオーナーって言っていたじゃないですか。自分で経営していたってことですか？

「自分で女の子用意して経営。でも名義は別なんです。妬み嫉みが激しいので黙ってやる方が賢いんじゃないかって思います。女の子が自分でやる場合は。だって名前も使えないし。ちゃんと上がるんだったらできますけど。まあ私が経営していた方が女の子も使いやすい」

――組合には入ってないんですか？

「入っていますよ。名義上のオーナーが。私は何も。結局税金を払っていませんからね」

飛田新地のいま

――飛田の今について教えてください。

「みんな可愛くなっているんじゃないですか。エクステつけたり、ライトもＬＥＤですし。

私たちの時は蛍光灯でしたから。稼ぐ子は稼ぎましたけど、ダメな子は全然」

――かなり稼がれたわけですよね。

「税金も払ってへんから家にタンス預金ありました。言えへんことですけどね（笑）」

――身元はわからないようにしますんで。他の子もそれくらい稼げるんですか？

「選ばれた人間だけです。ずっとヘッドハンティングされていたから、いい条件のとこばかりでしたから。運が良かったんでしょうね。初めて来たのは24になったときだったのかな、したことがなかった仕事だったんで。ちょっとやってみて、あかんかったら100万くれるという条件やったからきましたよね。

子供を妹に預けてきたんですよ。すぐ帰ると思っていたから。でも当たったんですね。目標の5000万すぐクリアした」

――それは何ヶ月くらいですか？

「結構早かったですよ。1年で3000万はいきましたから。1万円の取り分4000円は耐えられへんかったんです。5は店で1はおばちゃん。11人上がって11万とかあり得へんて。どうにか体を楽にしようと思ってたんで。私引っ張るの好きだったんですよ、おしゃべりやから。そしたら段々お客さんついてきて、順番待ちの人も出てくるようになったんです」

——数こなしてって感じじゃないんですね。

「嫌なんですよそれ。ある時1万円から上がれへんからおばちゃんと喧嘩していたんです。そしたらある時入ってきた人が1万5000円からいけるっていうから、どうぞどうぞっていうじゃないですか。地方からきた人だと思って、1時間4万円って言ったんです。それからその値段になったんですね。2万も30分に短くして。〝えー、あそこだけ〟って最初は周りに見られましたけど、段々それが広まってきて。正月料金をそのまま通常にした感じですね」

——今の値段は？

「15分1万ちゃいます？　20分で1万5000円かな、私の当時は」

これは智子さんがいた当時の値段で、今は、

○15分　1万1000円
○20分　1万6000円
○30分　2万1000円
○45分　3万1000円

○60分　4万1０００円

というのが通常の料金体系だという。

――結構な値段しますね。

「消費税が平成9年くらいからついたんじゃないかな。1０００円余計にとるようになりましたね。いろんな意見あったけど、経営者の方針だからいいんじゃないって。私らはもらえていたんで良かったですよ。飛田でも売れっ子の方だったんで。最初の店はそうでもなかったたんですよ」

――飛田の女の子ってどこらへんに住んでるんですか？

「近所だったり、ちょっと見つかるの嫌だから遠くもいますね。色々。奈良とか。私も神戸住んでいたからずっと車で。リッター5キロだったから帰りはガソリン入れるみたいな。それでも稼げていたんで」

――給料は当日取っ払いですか？

「そうです。封筒に入れて。厚みが結構ありましたよ、私だけ6割もらってたんで」

――当時は何軒くらいあったんですか？

「3００くらい？　今はどんどん潰してマンションになったりとか駐車場や道路になった

りしていますが。情緒はありましたよね。裸一貫で稼げてましたんで、私にとっては飛田様様。嫌なことよりか、すごく良かったなという方が多かったです」

——やはり借金があって来ている人が多いんですか？

「昔はですね。自分のために来ているという人は多くなかったんじゃないかな」

——今は違うんですか？　例えば学校行きたいとか自分で会社作りたいとか。

「そういう子もいると思いますよ。中には。だけど私に言わせたらせっかくするならもったいないのかなって。ちょろっと稼いですぐ辞めるのは。目標を持った方がいいなと思います。私は5000万だったんだけど、すぐいったんで。別に元気なうちはこれで生きていければ誰にも迷惑かけないし、まあいいかなって」

「秩序が崩れてきている気がする」

——呼び込みのおばちゃんって、女の子あがりの人が多いんですか？

「昔はね。今は経営者も素人が多いんで」

——素人というのは？

「全く飛田で働いたこともなくて、ただやってみようかなって人。だから秩序が崩れてきている気がする。客のマナーは悪いですね。

昔、私は〝桜木通り〟という通りにいたんです。今は通りの名前が〝青春通り〟になっているでしょ。それ私らがつけたんです。ただの桜木だったんですよ。後ろは〝山吹〟。山吹は青春通りって名前はついていました。あそこは昔からの青春通り。でもうちらの方がええやんなって、こっちの方が人気あるやんなって。なんであっちだけ青春ついてメインになってんねんって。それで勝手にこっちを青春通りにしようやって呼び始めたんです。それが平成元年で、それからあそこが青春通りになった。私が最初なんです。お客さんにここなんて言うんですか聞かれたら、〝青春通りです！〟っていうてたんで。口コミってすごいですよね」

いまの飛田新地は、智子さんが名付けた〝青春通り（元・桜木通り）〟のほかに、メイン通りである〝山吹通り〟、〝弥生町会通り〟、〝若菜町会通り〟などと呼ばれて、値段設定もそれなりの店は少し安く設定されて、それぞれ特徴のある通りになっている。

——熟女ゾーンで通称〝妖怪通り〟って呼ばれるとこありますけど、あれも昔からですか？

「あれはお客ちゃうかな。そんな失礼なこと言わないから。おばちゃん通りとは言っていましたけどね。稼げなくなったからあっちいくと。でも若い時からずっとあっちで働いていた子もいるけどね」

——飛田はいい思い出が多い？

「飛田は稼がせてもらいましたね。旅行も32カ国行きましたし。若い時はやんちゃしてたし勉強も嫌いだったけど、大人になったあとは自分の目で見れたし、たくさんの人にも会えたしすごく吸収できたなって」

——飛田で色々なこともあったんですね。

「飛田の大御所のとこに来たのも色々あって。最初Aという店なんですよ。凄い有名な金持ちの何十軒も持っている人がいて。でも人がいいからみんな家賃払わないんですよ。何にも催促も追い込みもされないから桜木の方も全部買い取るわって。安い値段で買い取って。あそこ全部その親父の持ち物やったから。本当にいい人やって。最後はボケて嫁さんがガシッと財布を握って、かわいそうな感じやったけど。親父は何億も取られていたんじゃないかな」

——お店っていくらくらいで買えるんですか？

「今は借りるんですけどね。昔、私らが20代後半くらいやから。その昔やから。家賃が払えへんから買い取りますわって。安くつくでしょ」

——何百万単位ですか？

「2000万かな。権利というか店ごとね。土地も付いてるし。借りるのもそれくらいかかるんですけどね。戻りは半分。だから普通じゃないんですけど」

——仮にお金があれば、僕でも経営できるんですか？

「もちろんできますよ。買うことは無理だけど借りることはできる。家賃が50万とか60万て聞きました。一番安いとこで37万。稼ぐ女の子いればいいけど、いなかったらずっと支払いに追われますよ。いまは昔みたいに真面目な子がおらんから」

——女の子は飛んだりするんですか？

「飛びますよ。〝なんでそんなにバンスさすの？〟って。〝あかんよ、バンスは自分の売り上げの半分よ〟って」

バンスとは水商売用語で〝前借り〟のことである。

——これからコロナもありますけど、飛田ってどうなると思います？　客は減っていますよね？

「草食男子？（笑）、なんですかね。こんなん博打なんやからさっさといかんかい！　って。そうでしょ？　失敗したら終わりやんて、笑い話になって終わりでしょ。付き合うわけでも結婚するわけでもないんやから。あっ間違えたと思っても上に上がったらするべきよ」

——それは正論ですね（笑）。

「そうでしょ。〝あっ間違えた〟って降りる奴がいるんですよ」

――あっ、そんなことがあるんですか。

「ちょっと太っていた時に、こうやって顔を細めていたら痩せて見えるわけですよ。顔で選んでくれたんですけど、〝あれ自分肥えてんなっ〟って階段降りて言ったから、後ろからスリッパをバーンっ！　って（笑）」

――そんなこともあったんですか。

「〝なにしとんねんコラ！〟って。〝痩せろよ〟って言われて〝痩せます〟なんて（笑）。そんなおもろいこともいっぱいありましたけど。

私の場合、天職ではないんですよ。別に好きではないから。でも適職ではあったと思いますね。稼げたんで、すっごい」

「私にとっては良かったのかな。時代も」

――智子さんにとっては良かったけども、苦しんだ子も中にはいるという事ですか？

「ですね。そこそこ稼いでるのに、しょうがない水商売でバーンと金使ったり。私は嫌いでしたけどね。逆にホストが来てましたけどね。んで私が行くとタダ。絶対ホストなんかに金出さへん。たまたまほんまにお友達が行くっていうから付き合ってね。同業者は嫌ですね。だって男から金取っているんですよ、なんでそれ戻さなあかんのって」

――今完全に上がられて、飛田に知り合いがいるとか繋がりはあるんですか？

「いるんですけど、電話も出ないし、関わり合いたくないんじゃないんですか。まあ私は色々やってきましたから色々潰しもきくんですけど、その子はそれ一本。ソープに叩き売られてきたような子だったのでね。色々あるんじゃないですか。

私は絶対店持つことが夢でしたけど、25の時に出したけど組んだ相手が悪くて開けずじまいでしたね。27くらいの時に飛田で、親父のあとやらせてって言って居抜きで全部ついてるからやって。

そん時はまだ欲張りだったので嫌味なやつやったんやけど、２軒同時に出したんですよ……。私にとっては良かったのかな。時代も」

――今の子たちは智子さんほど稼げないですかね？

「億は稼げないね。私は切り詰めてなく稼げたからね。

１人だけ、当時９千５、６００万稼いで辞めた子もいるけど、その子は切り詰めて。店にもよるけど、私らはどんどん回転させるじゃないですか。その子はサービスがすごくいいらしくて、時間もきっちり。

すごく綺麗な子だったけど、5年間でそれだけ貯めて。チップだけで生活して、ご飯もママたちと一緒に行くようなね。変わっているんですけど、親がそこの店に預けたらしいですよ。勉強させるために裏ビデオを持って来てこれで勉強しなさいと」

——それは変わってますね……。

「うちはバレたら嫌やからね。子供にもバレんようにしてたし」

息子さんとのエピソード

——今は智子さんのお子さんらは、飛田で働いてたこと知っているんですか？

「もう知っています。感謝しているって言ってくれてますね。誇りを持ってくれと。最初に見られた時はヒーッてなったんですけど。これはあかん言おうと思って。友達にも見られたから、〝なんか言われなかった？〟って。そしたら〝なにが？〟って。〝飛田のこと？　もう知ってるからいいよ〟って。〝逆にそんなこと言ってくるやつはみんなから嫌われるから、いいよ〟って。〝大丈夫、自信を持ってやってくれ〟って」

——いい話ですね。

「なんやもう、私は必死に隠そうと頑張っていたのに、もう知ってたんかと。でも20歳過ぎたら来ますよね。私早くに産んでるから、ふとした瞬間にヤバっ、来たって。友達に頼んで隠れたり（笑）。

家帰って、〝お前ちょっと聞いたんやけど、飛田に行ってたらしいな〟と。〝あかんで〟って。〝なんでやねん、行くわ〟〝あかん〟って。〝なんでや〟〝……私が座っとるからや！〟」

――最後は自分で言っちゃったんですね（笑）。

「てか知ってたし、とかいうてね。〝なんであんな所通っていたの？〟って聞いたら、〝しくじった〟ですって（笑）。

いつもやったらオカンが座っているとこ知っているから、友達にもあっちいけこっちいけって違うとこ通るんだけど、たまたま間違って来ちゃったらしい。

でもホンマにいい子らですよ。なんで私からこの子らが産まれてきたんやろって思うくらい。両親いてる子らよりも、いい生活させていたとは思います。お金で困らせたことはないし。色々はあって嫌な思いもさせたけど、まあね。振り返ることがあんまり好きではなくて、これまで目標を決めてクリアしてきたんで。50代は50代で投資など頑張ろうと、目標決めてやっていますしね」

「本当に子供らにも残す気もなく。そん時は。私も1人でやってきたんやから、子供も頑張るんやってそん時は思ったんでしょうね。バカだから。

そしたら、容貌はどんどん落ちてくるもんだなって40になって初めて危機感を持ちましたね。客が上がることは上がるんだけど、昔ほどのパワーはないよねって。ネットが出だしたことも大きかったですね。叩かれるんで。それまでは多少年を取っても若く見えていたんで関係なかったけど。あそこの子は性格が悪いとか、実年齢バラされたりとか。〝あそこの子は45だ〟〝まだ45ちゃうわ！〟って（笑）。

そんで44の時に引き際だなって思ったんです。それで辞めました」

——今から10年前くらいなんですね。その時は外国人のお客さんいました？

「いやあ、今はお客さんがいないからでしょ。昔は〝ノーノー〟って断っていました。入れるにしてもお金は高く取って」

これからの飛田

——変な話、これから飛田がなくなる可能性ってあると思いますか？

「いや、私はないと思います。そういう場所がなくなったら犯罪が増えるんじゃないですか。ただ、今は昔のように稼げないかもしれないけども、せっかくなら目標を決めてやってほしいですね。目先の男にお金を使うのはちょっと。

本当は子持ちが良いんですよ、自分の子供のために一生懸命お金を貯めてとかするんで。老後のためとかね。でもたかだか3000万貯めても将来は厳しいなって、投資を始めて気づいたんです。残しても使ったら終わりやからね。もう40の引き際の時にお金の稼ぎ方ってどうすんのって、すごく考えたんですけど……。そん時また別の大御所とも出会えましたし。

だから感謝ばかりですよね。まあ、嫌な思いというかレッテル貼られたこともありましたけど。それから良い人キャンペーン中というかね（笑）」


智子さんの話には、割愛することをためらう程の内容があった。できるだけ話を生かすために、一人語りにしている箇所もある。一方で、割愛しなくてはいけないほどヤバくて大きな話もあった。今の自分を作り上げてくれた飛田新地という場所への感謝の気持ちが、言葉の端々に見え隠れしていた。

智子さんの飛田の歴史は決して黒歴史ではない。それは智子さんが立派に子供を育て上げ、現在は悠々自適の生活を送っていることからも明らかだ。

今後もゆっくり話を聞いてみたい1人である。

西成は、失敗しても生きていける街

――牧師　榮一仰さん

大阪市内を走るＪＲ環状線、南海電鉄、阪堺電車の新今宮駅や大阪市営地下鉄御堂筋線や堺筋線の動物園前駅前にある宗教団体を筆者は訪ねた。

西成の入り口である太子の交差点脇にある建物はこの地域では一等地だ。筆者が西成の取材を始めた20年以上前から気になっていた建物である。それが今回取材を許された〝大阪救霊会館〟だ。

大阪救霊会館は１９５２年に大阪に設立された、由緒あるキリスト教のプロテスタント教会だ。そこの牧師にお話を伺った。

キリスト教で「牧師」という呼び方はプロテスタント教会を指導する指導者であり、「神父」とはカトリック教会の司祭のことを指す。

不勉強な筆者はその区別すらつかずに、牧師に話しかけた。

大阪救霊会館の歴史

――神父さま、お話を伺うことは可能でしょうか？

「私は神父ではありません、牧師です」

「大阪救霊会館」は非常に目立つため、駅を降りるとすぐに目に留まる。

筆者の不勉強を怒るどころか、優しい微笑みと注意で返されてしまった。

牧師は名前も知る由もない筆者の取材の申し入れを快諾してくれ、取材は始まった。

――牧師さまのお名前からうかがいたいんですが。

「栄一仰（さかえいっこう）です」

――宗派は何になるんでしょうか？

「プロテスタントになります」

牧師は微笑みながら答えた。

――この場所に構えて何年くらいでしょうか？

「ここはね、1950年からこの働きが始まりました。向こうの古いほうで、あれは米軍の兵舎だったのね。それをもらってね。1955年に新しく作りました」

この教会が古く感じるのは、その歴史から来ているのだ。

——1955年ということは、昭和30年ですよね。その時からこの地で布教をなさっているんですか？

「戦争の前からね。イギリス人で、アメリカから来たレオナルド・W・クートという人がね、飛田の遊郭の近くで毎晩伝道していたんです」

牧師の話によると、戦前からこの地域ではキリスト教の布教は行われていた。その努力もあり、この地域ではキリスト教はいくつもの宗派の教会もあり確実に広まっている。

——それは飛田で働く女性達に対してですか？

「いや、あそこはたくさんの人が通るでしょ。そうして戦争が始まりましたので、外国人はスパイ容疑で布教などの活動は難しい。それで1回帰ってね、それで終戦になってまたこちらへ来て働きを始めたんです。そこでアメリカに熱心な人でね。大きなアコーディオンを持ってね、この新世界やジャンジャン横丁で伝道を毎晩していました」

その当時の新世界などを窺い知ることはできないが、初代の通天閣が完成したのが1912年（大正元年）なので、人通りはかなり多かったと想像できる。

ちなみに現在の通天閣は1956年に再建されたものである。

——この教会は最大何人入るんですか？

「200人くらいですね。前の古い方は毎晩300人が集まりました。終戦後ね」

この大阪救霊会館では毎日朝と夕方に礼拝を行い、この周辺の人間や近隣に住む人間を集めて伝道を行っている。そこには日本人だけでなく、多くの在日外国人も訪れる。

夕方の礼拝に出る人間にはお粥が配られて、礼拝後には食パン5枚が与えられる。

当然、それらを目当てで礼拝に集まる人間もいるであろう。

榮牧師から見た西成

——牧師さまから見て、この西成という街はどんな街ですか？

「ここは別名〝釜ヶ崎〟というんですが、大阪で1番住みやすい所ですね（笑）。昔は失敗したら釜へ行って働けと言われていましたからね。酒飲んで道にひっくり返っていても恥ずかしくないしね、だからズボンが破れていても恥ずかしくないしね。失敗しても堂々と生きていける。

いまは仕事が無いからね。1970年の大阪万博のときは、仕事、仕事、仕事でほんとうに仕事があったからみんなここへ来てね。胴巻きに、労働者がみんな万札いれてね。そういう時代もありました。いまは仕事がなくなりましたね」

いまは、コロナの影響も当然あり、昼間から仕事にあぶれて酒を飲んでいる人間も多いが、牧師が振り返る大阪万博、またその後のバブルなどの時代をたくましく生きた労働者は建設ラッシュで仕事にあぶれることは少なかったであろう。

——物価も安いし、人情もあるし、暮らしやすい街ですよね。

「この街はね、なりふり構わず生きていける、非常に暮らしやすい場所です」

〃なりふり構わず生きていける〃という牧師の言葉は、ここで生活ができなかったら最後であり、頑張って生きるしかない、という言葉の裏返しなのであろうか。

——西成のいまの街というものを、変えたくない。このまま残していきたい、という思いですか？

「イエス・キリストを信じたら、どんな人でも変わりますからね。だからこの街も変わります。私たちの働きというのはね、どんな人でもキリストを信じる事ができるようにすること。これが第一なんですね。こういう場所を利用してね、うまくやりたい人が増えていますからね。飛田の遊郭で働く人も増えていますから。終戦の時にはいっぺん無くなったからね。女性差別ということで」

牧師の言葉には西成を信仰の力で変えたいという思いが見え隠れする。

それは生きる目標を失った人間も多いこの地域では必要なことであろう。

――女性活動家などが積極的に政治運動をしていたときですか？

「ええ。いまは働く人が増えているからね。それとね、いまは巷にエイズとか淋病とか梅毒がとても増えていますからね。飛田だけではなくね。それとね、弁護士の橋下さんが府知事に初当選したときに、飛田の顧問弁護士だったんです。市長時代にあのセンターをぶっ壊して、官庁街にするという考えだったんですよ」

筆者は実際に飛田を含むあいりん地区で、再開発の動きを数少ないが目の当たりにしている。知っているいくつかのドヤなどはその当時廃業し福祉アパートに変わり、先行きを考えて所有者が変わり名前も変わっている。

名前が変わる意味はそれだけではなく、殺人や自殺、覚醒剤事件で大規模な摘発などの問題が起こると名前を変えてマイナスイメージを払拭するのだ。

――そういう計画だったんですか。

「あの風情ある建物を壊すという計画を橋下さんがやったんですね。でも、それはとても無理なことでね。いまはみんな反対していますけどね。弁護士さんのあの方が、大阪府知事に当選しましたね。ずっと前ですね。その人のときにセンターができましたね」

あいりん労働福祉センターの建設が竣工されたのは1970年。その当時の大阪府知事は、自民党の元参議院議員で防衛庁長官の経験がある左藤義詮（さとうぎせん）である。

しかし、牧師の言葉で弁護士というキーワードが出ているので、その後に大阪府知事を務めた革新である黒田了一のことを指しているのであろうか。

「ここは、キリストによって人間が生まれ変わる場所」

――その当時と、牧師さまは考えが変わっていませんか。

「1945年に終戦になりましたね。5年後にここが始まりましたね。それから働きやすいということで、ずーっとやってきたわけですね。

教会には色んな人が来ますからね。人を殺したとか。そういう人もやってきます。麻薬に溺れる人とか。そういう人もこの教会を通して生まれ変わる、ということをやってきましたね。いま和歌山刑務所にいる女性はこの近くにいたんですが、火つけて家を焼き払ってお金を取ろうとしたけど、失敗した。いまは和歌山刑務所に入っていますが、そういう人にもイエス・キリストを信じてもらえるように文通して、中でキリストを教えています。麻薬に溺れた人にもちゃんとするし。

だからここは、キリストによって人間が生まれ変わる場所です。人間の努力というのも限界があります。私の生まれは奄美大島の徳之島です。そこから転々としていました。

ここに流れ込んでね、酒を飲んで放蕩していたんです。私は大工でね。いっぱい仕事がありましたから。鹿児島で仕事を請け負って家を建てたりしていました。でもやっぱりここへ導かれてね。そしたら鹿児島より仕事はいっぱいありました。でも大工の仕事ですからね、夜はいっぱい飲むし。それで飲んだくれになってね。ずいぶん失敗しました」

牧師も過去は荒れた生活を送っていたのだ。信仰の力で生き方を変えた人間を筆者は何人も知っている。筆者には関係ない出来事と思っていた。

その考えはいまも変わってはいない。

――信仰に入られたのはいくつの時ですか?

「26歳のときです。酒飲んで、酔っぱらってここにきたんですけどね。イエス・キリストを信じて救われました。不思議とね、あんだけ飲んでいた酒、焼酎を飲まなくなるしね。ほんとうにキリストの力が分かってきました。それでここの宣教師がお前は僕の学校に来いと。生駒(いこま)に神学校がありますからね。そこで聖書を教えてもらい、伝道師になりました。そのイギリス人に出会ったことで人生が変わりました」

そのイギリス人とは前述しているレオナルド・W・クート牧師のことである。

自身を信仰に導いた牧師をキリスト同様に榮牧師はいまも崇拝し、写真は額縁に入れて教会に飾っている。

――それは偶然ですか？　それとも神の導きですか？

「神の、キリストの導きです。キリストはとても偉大で大きな人でね。そういった経緯で伝道師となることができたのです。優秀な牧師たちがみな救われたのです。

来る人来る人みんな金が欲しいからと言ってね、最低でしょ。だからもっと他のとこに行って教会を経営したいと言って信仰を商売にして儲けた人もいますからね。

優秀な人はみな外で活躍しました。最後には私のような飲んだくれが残りましたね。ほかに行くあてのないような人間がね、私が残ると思いませんでしたね。でも、お前やれと言われてね。それまでは大阪の大東市の小さな教会でやっていたんですね。地方の街ですからね。人がほとんど来ない。だから神様に祈ったんです。ここらの2000人の子を導きますと、祈っていたんですがたった2人しか導けなかった。そのうちの1人は放蕩も大変な放蕩だったんだけど、その人の兄弟が救われたね。

もう1人はね、ずーっと1時間くらい走って〝これが俺の家だ〟という所へ行ったんですね。その駄菓子屋の家でひっくりかえってね、そしたら〝坊ちゃんお帰りなさい〟って。大きな家ですね。父親が亡くなったあと、みんな売ってしまって放蕩になってしまったんですね。そのあと連れて来て導いたんですね」

と、牧師は昔を振り返るように語った。

宗教は金になる。それはいかにして信者を洗脳して、金をむしり取れるかのテクニックだ。

しかし、この地域で宗教をお金に変えることはほぼ不可能であろう。小銭を集めることは可能であろうが、まとまった金を集めることは不可能に近い。また、この教会は地域に密着している教会であり、余計不可能であろう。

ヤクザと宗教

――キリスト教の教えで、〝罪を憎んで人を憎まず〟っていう有名な言葉があるじゃないですか。それはどのようにお考えになりますか？

「それはね、イエスさまはどんな人も憎まないです。そういう人を救うように十字架に命を投げ捨ててくださいました。そのイエス・キリストが一緒にいますからね。色んな問題があっても、その人のために祈って生まれ変わることができるようになりますから。素晴らしい恵みでした。

私がここで伝道を始めたらね、海外の人がよく来て助けてくれました。韓国の人はよく来てくれたし、台湾の人、シンガポールの人、アメリカの人、マレーシアの人。一生懸命になって一緒に伝道してくれました。献金もしてくださったし、この冷房も台湾の人がつけてくださいました。今はコロナということで扉をひらき扇風機でやっていますけどね。韓国の日本にいる牧師さんですけどね、お米やバナナなど献品してくださいますね」

実は、いま榮牧師が答えた言葉には深い意味がある。

この教会も海外からの援助を受けて、キリスト教が海外から伝道し根付いている。大きい十字架と刺青を背中に背負ってアメリカなどを歩き回った元ヤクザが集まったことで有名な集団のミッション・バラバなども同じプロテスタントの宗派であり、一部の牧師などの出身は榮牧師が学んだ生駒聖書学院だ。

元暴力団組長で武闘派として知られた金伸一氏も在学して聖書を読み、キリスト教を学んでいる。また、ミッション・バラバに関する書籍などは多く出版されており、映画にもなっている。

関西では、信仰に入った人間に対し〝あいつはアーメンになったのか〟と揶揄されることもあるのだが、信仰心がある人間にはその声は届かず虚しく響くだけであろう。

榮牧師の布教活動

――この教会では炊き出しはされているんですか？

「水、金、日。食事を作っています。毎晩パンはあげるんです。韓国の方がバナナや食料をくださるんでね。来る人が励まされるんですよ。彼らも仕事が無いですから、いつも腹も減っているしね。真面目になりたいという気持ちを段々持ち始めて、その中からキリストを信じる人が出始めるんです。最初は恥ずかしがるんですけどね、しかし堂々とキリスト様を信じることができればやれるんですね。

そういう力をイエス・キリストというのは持っているんですね。与えて下さるんです。十字架の墓から生き返ってキリストは生きているんです。死んだ目的はね、すべての人がやがて神の裁きをうけるんです。そうならないように、立って十字架で死んだんです。十字架の上でも、彼らの罪を赦（ゆる）してくださいとキリストは祈ったんですね。どんな人でもキリストによって救われるという大奇跡が起きるんですね。

人間は目先のことしか考えませんからね。一寸先は闇ですからね。熊本でも一瞬のうちに多くの方が亡くなったでしょう。一寸先は暗闇なんです。でも、そういう時にも天国がありますからね。この体はいつか死ぬんです。でもそのうちに神の国に入りますからね。死んだのではなくね。イエス・キリストが導いてくれますから、恐れることはないですよ」

牧師の目には力強く信仰の力が浮かび上がる。

1杯のお粥と5枚のパンでは腹は満たされないが、一瞬の飢えはしのげる。そのときにキリストを思い出せればいいのであろうか。

――死は怖くないですか？

「怖くないですよ。いつでもイエスさまがいるという安心があるんです。だから他の人が行けないところにも行けるしね。ハンセン病の病院にも何回も行って伝道するし、山本五十六が亡くなったパプアニューギニアにも行くし、スリランカで教会も作ったんですよ」

信仰の力というものは死を恐れないのだろう。

人間はいつか命が絶えるものだが、牧師の言葉にはそれすら感じさせない力強さがある。

――牧師さまが？

「そうですよ。大工ですからね。パプアニューギニアでも、ゲリラが激しいフィリピンにも、中国の海南島にも教会ができました。北朝鮮の人たちも助けることができたしね。そういうことが出来るとは全然思ってなかったんですが、神様が私を導いてくださったんですね。奇跡が起きたんですね。

あなたもね、イエス・キリストを受け入れることができたなら、あなたが変わりますよ！　変わってね、〝本当に僕は救われた！〟というすごい働きができるんです。あなたが今何をされているか分かりませんけどね、目先の仕事だけでしょう？」

この時から牧師は筆者を信仰の道に引き入れようとする言葉に変わった。それが正しいと思っている人間には何を言っても変わることはないので、成り行きに任せて話を続けた。

——目先というか、いつ死んでもいいように準備はしています。

「いつ死んでもいいというならね、イエス・キリストを信じて命をささげてください。そうすると、あなたは本当に日本中の人にキリストを教えることができるんです。

天皇陛下は毎日拝まれているでしょう。日本人は神社を祈ります。昔、日本人は天皇陛下のためにということで祈っていましたね。こんどはキリストのために生きるということを祈ればいいと思うわけですね。元大物官僚が息子を刺し殺したでしょう。（2019年に元農水事務次官が長男を刺殺した事件を指している）。人間は自分の家族すら救うことができない。

和歌山の高野山大学の教授の和尚さんの息子が小学生を刺し殺したんですね（2015年に高野山大学教授の息子が和歌山県で男児を殺害した事件を指している）。だから和尚さんも子供を救うことができない。その方々にもいつか聖書を送ってあげて教えてあげたいんですね。

人間は自分を救うことができない、その大きな原因は自分の力で生きていない。全能の神の力によって生きています。ですから、あなたの内に神を迎えないといけない。人間は偽善者です。立派になっても人間の中には罪深いものがありますからね。人間は自分を救うことができないです。政治家や財界人などは女がたくさんいてね、毎晩違う女を抱いて、だけどね、それは虚しかった。人間はそういう欲望で生きています。ですからあなたも、その内側に神を迎えないかぎり悪い欲望がパッと出て失敗します。

私の父もね、女遊びもするし。船乗りでしたからね。イタリア、フランス、アメリカ世界中の女を買ったとかね。そんな話を子供にするしね。そのうち女ができて子供を作ってね。私は恥ずかしい思いをしたんです。母が一番苦労してね。そういうオヤジも最後は救われてね。満99歳まで生きました」

牧師の言葉に普通の人は心響くものがあるのだろうが、汚い世界を見続けた筆者の性なのだろうか、心にはまったく響かない。

それは取材者として相手の術中にははまらないという日頃の癖なのであろうか。

——牧師さまは今おいくつですか？

「92歳です。だからこんなものが90まで生きると思いませんでした。あんなに酒を飲んで放蕩して。これはイエスさまが私を生かしているんですね。イエス・キリストの哀れみを人に語ることができるしね。だからイエス様を信じると人が変わるんですね。滋賀県の琵琶湖のほうに90何歳のお婆さんがいるんですが、その息子さんは一流の大学出ているんですがね、もう麻薬を覚えちゃってね」

――覚醒剤ですか?

「ええ。でも今は母がイエスさまを信じられましたからね。息子が帰ってくるまで死ぬことはできないって」

やはり西成という土地柄、覚醒剤とは切っても切れぬ縁があるのであろう。

キリスト教の教えを、西成の人々に伝えたい

ここで、筆者は一番疑問に思っていたことを単刀直入に聞いた。つまり前述しているように、礼拝で配られるおかゆやパンを目当てに信仰心がない人間が集まることに対しての疑問である。

――牧師さま、ここで前に立ってお話をされるじゃないですか。皆さんここに来ておかゆを食べてパンを持って帰る。それは信仰に繋がらなくてもいいのですか?

「神様がね、働きますからね。彼らもね、俺らはいらん。といっても彼らは聞いていますからね。イエス様は決して見捨てないんです」

——彼らが神を求めるまで待つのですか？

「それはどうでもいいですね。イエス様は彼らにしょっちゅう働きかけていますからね、いつか〝あぁ〟というときがくるんですね。そういうときのために私は祈っています。今日伝道してすぐクリスチャンになれば、そりゃ教会も大きくなりますけどね。人間の知性で考えますからね、なかなか難しい。

戦後はね、いっぱいクリスチャンがいたんです。でも豊かになると離れていくでしょ。でも神様はそのような人間も見捨てないんです。

私もね、若いときは酒に溺れ女狂いで。しかし祈ったら救われましたから。クリスチャンは汝の敵を愛せよ、で忍耐ですね。忍耐でもって世界中の人を愛して救えるんです。一番大きな忍耐は、イスラエルに対する忍耐。２０００年の間も国が無かった、しかし１９４８年に独立することができた。聖書にイスラエルは必ず回復するという事が書かれてある。神様がこれらは私の民だと、お認めになったので救われましたよね。だからクリスチャンはイスラエルに通っている人も多いですよね。ユダヤ民族を通して世界は変わる。イエス・キリストに不可能ということは何もないんです。

こうして今日、私があなたと会ったのもね、あなたのことをイエス・キリストが救いたいんですよ！」

牧師は筆者を先ほどより強く信仰の道に入るように説得に掛かったのである。

――私ですか！

「あなたは全知全能の神様に愛されているんですよ。産まれるまえ母のお腹に10ヶ月いたことは覚えていないと思いますし、考えた事もない。

大阪救霊会館の街宣車

　大きくなったら勉強して。産まれたら日本人だった。そして最後は死ななきゃいけない。でもイエス・キリストによって永遠の天国がありますからね。永遠の命です。それであなたの運命はすべて変わります！

　悪いけども、今あなたが考えていることは目先の計画だけでしょう。それはあっという間に行き詰まるんです。熊本のようなことがあれば、着物も金庫も何も無くなってしまう。人間のやることはすべて水の泡ですよ。そのうち最後を考える事ができなくなったらぼけオヤジになって、オムツになっていやがられて死んでしまうでしょう。人間は哀れなものですよ。

でもイエスを信じることによって、あなたの一寸先は光だと。どんなことがあってもキリストによって生きるんだと。キリストによってもっと素晴らしくなるんだと。金持ちになるということじゃないですよ。永遠の命を得られるんだということです。それがなければ、今日は酒飲もうか、今日は飛田行こうか、となるわけです。どんどん落っこちてしまいますからね」

真剣な眼差しを筆者に向ける牧師の話はさらに続く。

「コロンブスはアメリカを発見した大英雄だけど、白人はいっぱい病気を持ち込んだし、暴力や強姦はするしね。だから結局、人間は新しい大陸を発見しても自らの欲望でダメになってしまうでしょ。歴史に名を残したっていけません。天国に名を残さなければ。そうすると、誰も名前を覚えていなくても永遠の命を手に入れることができますからね」

——こんどまた、伝道をやられている時にお話聞きに来ます。

「心の中にまずイエス・キリストを信じるということですね。私がこうしている理由はね、私の従兄弟がパプアニューギニアから戦争から帰ってきたんです。片腕が無くなっていてね。ところが東京の病院で、敗残兵だけどキリストが僕を救ったということを言ったんですね。それでお土産で聖書を教えてもらいましてね。1945年、昭和20年、敗戦の年に聖書をよく読みました。そのときは救われなかったんですけどね、そのあと変えられて良かった！　と思いましたね。父も母も救われましたしね。父がよそで作ってきた子供も牧師になりました」

牧師自身の生き方や体験談などを交えながらの話は続く。

――自分が救われたキリストの教えを、ここに住んでいる人に教えたいんですね。

「それが一番です。女遊びするな、酒を飲むな、といってもすぐしてしまいますからね。ところがキリストのことを信じればすべてやめることができます。本当に変えられます。人間は自分の欲望に勝つ事はできないです」

人間の欲求を抑えて信仰の道に入るのは余程の決心が必要であろう。

誰しもがキリストによって救われる

――いまこの教会に通われている方はどのくらいいらっしゃるんですか？

「数えきれないですね。高槻の奥さんから連絡がきましたが、その方はキリストを信じていてとても素晴らしい教えだと思っているようです。ご主人もなんとなくキリストに好感をもたれているようです。大阪中、日本中にイエス・キリストを信じて救われたという方はたくさんいらっしゃいますからね。本当に感謝です。韓国にも、北朝鮮にも、中国にもいます。世界中の人と親しくなりますね。大きな恵みです」

この牧師の言葉に嘘はないであろう。

ある統計では世界中の人口の33パーセントがキリスト教の信者であり、信者数では当然イスラム教、ヒンドゥー教などを離し世界一を誇る。

実際に教団を訪ねたときに、牧師と話していたのは在日外国人であった。

——西成でもっと信者を増やして、街を綺麗にしたり欲望を捨てさせたいですか？

「私はね、彼らが欲望から解放されて、キリストによって救われた！　となることを祈っています。これは狭い道です。地獄に行く人も多いです。

でも命の門に入る人は救われます。あなたは命の門を歩まなければいけません。そこに入ると本当の生き甲斐を見つけることができます。神の裁きがあるから、神様は素晴らしいんです。裁きがあるから神様はイエス・キリストを磔にして、しかしそれでも人々を助けるようにと祈られたんです。あなたがどんな良いことをしても、心を変えることはできない。自分を救うことができない。その弱さはあなたにもあるんですよ」

人間は確かに弱い生き物である。

それは誰しもが言う言葉であり、感じている言葉でもある。

——牧師さま、今日は勉強になりました、ありがとうございます。

「だからね、ありがとうございますじゃなくて、今イエス・キリストを信じます。キリストと歩む決心をします、とね」

——いや、それはまだ分からないです。

「それだったら遅いですよ。頭ではわかりませんからね」

——キリスト教はこれまで遠い存在だったのですが、牧師さまとお話することで徐々に理解することができましたが、いますぐにというのは無理です。

「チャンスですよ。いきなり言われても、というのは日本人の合い言葉ですが、これはチャンスですからね。一寸先は闇ですから。いまと言うときが大事です」

——いまここで入るというと嘘になりますから。

「いつかどこかでハッと気づくことあるかもしれません。イエスさまのことをいつも考えてください」

——それはお約束します。

「たとえばあなたと二度と会えなかったとしても、キリストを信じたんだ、という気持ちを持ち続けてください。聖書をぜひ読んでください。それではお祈りしましょう。ハレルヤ」

筆者は日本人として生まれて神社仏閣など訪ねて神仏に祈りは捧げる。しかし、キリスト教自体はクリスマス以外には全く縁がない宗教であり、その気持ちは牧師の言葉を聞いたあとでも残念ながら変わってはいない。実はこの後、牧師は私のために祈りを捧げてくれた。さらに取材を終えて帰ったら、牧師から新しい聖書が届いていた。それは開いてはいないが、牧師との約束通り見える場所には置いてある。

年齢を感じさせない、とてもバイタリティのある榮牧師であった。この後大病を患ったが、現在は復活し日々布教に励んでいる。

このような人間がこの街を守りながら変えていくのであろう。

おわりに

はじめに、でも触れているが西成は不思議な街である。

その意味を読んで頂いて少しでも理解して頂けたであろうか。

この地域では、数ヶ月空白の時期が続くと顔ぶれが大きく変わることが多々ある。

実は、この書籍でも取り上げた人間のなかで今回連絡が取れなかった人間が数人いた。

書籍を読んだ読者の方のご想像にお任せするが、俗に言う「飛んだ」「逮捕された」のが、その理由である。


日本には三大ドヤ街と呼称されている地域が存在する。

東京・山谷（さんや）地域、横浜・寿町（ことぶきちょう）地域、そしてこの西成だ。

西成以外のそれらの地域は地価が安いこともあり、一般住宅やマンションなどが立ち並び、〝闇〟から年々遠ざかって行っている。

一方で、西成は開発されることを人々が拒絶した地域である。

西成の闇は深い。

しかも、それらは一般人の目に触れぬように、どんどん狭いエリアになっている。西成の中心部にある三角公園周辺で公然と賭博をしていた光景は絶滅したが、賭博行為自体は、周辺の飲食店を中心として度々目にすることがある。

本書でも少し触れているが、この地域で治外法権がまかり通っていた時期は確かにあった。

覚醒剤が蔓延し、西成のこの地域から出なければ逮捕されないという時代だ。

しかし、その伝説はある時期を境になくなったのである。

大阪のＪＲ環状線の新今宮駅では鉄道警察隊が見張り、国道を走ると大阪府警本部機動警ら隊の覆面車両が走り、西成警察署管内を外れると、近隣の所轄に逮捕されるという事態に陥った。

法に触れているのだから、逮捕されるのは当たり前ではあるが……。

本書籍を発行するに当たって、編集者と約束したことがある。

それは〝暴力団〟と呼ばれる人間を一切掲載しないという約束だ。

約束を守ったからこそ、西成で地域活動に奉仕する方々のお話を伺うことができた。

また本書は、昔から付き合いのある古い友人や、周辺にいる人間との縁から実現された書籍であるとも言える。

取材を快く引き受けてくれた方々は、筆者よりも、紹介をしてくれた人たちを信用してくれていることから世に出ることを許した方たちだ。

普段は絶対に表に出ることを拒否している人もいる。

筆者は取材に応じてくれた方たちに会うため、いま西成にいる。

春が間近なのにもかかわらず小雪が舞い散る冬のさなかで、今日も気温が氷点下まで落ち込む夜である。

心より協力してくださった人たちに深く感謝いたします。

令和三年　二月吉日　花田庚彦

■ 著者紹介

花田庚彦（はなだ・としひこ）

東京都生まれ。週刊誌記者を経て、フリーライターに。独自のルートを活かし、事件や違法薬物などアンダーグラウンドの現場を精力的に取材。現在は実話誌やwebメディアに記事を寄稿している。三代目山口組組長代行補佐・一和会理事長、加茂田重政『烈侠』（彩図社刊）では聞き手を務める。

撮影：藤井泰宏
撮影協力：通天閣観光株式会社

西成で生きる この街に生きる14人の素顔

2023年4月12日　第一刷

著　者　花田庚彦

発行人　山田有司

発行所　〒170-0005
株式会社　彩図社
東京都豊島区南大塚3-24-4
MTビル
TEL：03-5985-8213　FAX：03-5985-8224

印刷所　新灯印刷株式会社
URL　https://www.saiz.co.jp
https://twitter.com/saiz_sha

　ISBN978-4-8013-0657-8　C0195

本書は、2021年4月に小社より刊行された『西成で生きる この街に生きる14人の素顔』を加筆修正の上、文庫化したものです。尚、年代等の数字は単行本の刊行当時のままで掲載しています。